JN138859

謎?なぞなぞ学何故?

起源から世界のなぞなぞ・なぞかけのつくり方まで

稲葉茂勝／著　ウノ・カマキリ／絵

こどもくらぶ／編

今人舎

はじめに

「なぞなぞ」はいうまでもなく、何かの問いかけに対して答える言葉遊びのことです。でも、問いかけに対し、ただ答えるのではなく、とんち(時と場所に応じてとっさに働く知恵)をきかせて答えなければなりません。とんちがきいていないものは、「クイズ」です。クイズは、事実にもとづいて正しく答えなければなりませんが、なぞなぞの答えは、本当でなくてもかまいません。

○おすもうさんが神社に優勝祈願で参拝した。そのご利益あって12勝をあげた。でも優勝はできなかった。
それはなぜ？

この問いかけに対し、クイズとして答える場合、全勝の15から12勝を引いて、「３敗してしまったから」が答えとなります。ところが、その同じ問いに対し、なぞなぞとして答えるなら、「３敗」と「参拝」をかけて、「参拝したから」または「三拝(３回礼をする)したから」と答えることになります。

このように、なぞなぞの答えは事実にもとづいたものでないかわりに、何かにたとえたり、韻をふんだり*、洒落や駄洒落だったりすることが求められるのです。

一説では、日本の最初のなぞなぞは、嵯峨天皇(786年-842年)がつくった右上のものだとされています。

○「子子子子子子子子子子子子」は、何と読むか？
答えは、「ねこのここねこ、ししのここじし(猫の子子猫、獅子の子子獅子)」

このように、なぞなぞは平安時代からありましたが、多くは「○○○○、これは何？」に対して答える「二段なぞ」といわれるものでした。しかも、当時のなぞなぞは、和歌に編みこむなど、高尚な言葉遊びだったことがわかっています(→p6)。

室町時代には、後奈良天皇によって日本最初のなぞなぞ集『後奈良院御撰何曽』(→p7)がつくられました。そこには、次のようななぞなぞがのっています。

○嵐は山を去って軒のへんにあり。
答えは、「風車」。

○上を見れば下にあり、下を見れば上にあり、母のはらを通りて、子のかたにあり。
答えは、「一」。

○道風がみちのく紙に山といふ字を書く。
答えは、「嵐」。「道風」から「みちのく＝道を退かせ」て「紙＝上」に「山」を書く。

○海の道、十里に足らず。
答えは、「はまぐり」。
「海の道＝浜辺」で、「十里に足らず＝十里に満たないということで九里」。浜辺が九里 → 浜九里 → はまくり(蛤)。

* ちがう意味をもつが、発音が同じまたは似ている文字・言葉をくりかえすことで、独特のリズムをつくりだすこと。

江戸時代中期、徳川吉宗が将軍の時代になると、「○○とかけて□□と解く、その心は△△」という形式をもつ「三段なぞ(→p7, 48)が登場。一般大衆の娯楽として見せもの小屋や大道芸などが流行しました。浅草では、春雪という人がなぞかけをやって見せる商売をはじめ、大人気になりました。それは、お客さんにお題をもらって、なぞかけに仕立てるという見せものでした(「春雪」という名前も「早くとける」とかけた洒落になっている)。

また江戸時代には、なぞなぞを絵にした「判じ絵(→p8)」も流行しました。

なぞなぞは海外にもあります。中国語では「謎語(ミィユィ)」。英語では「riddle(リドル)」といいます。起源は紀元前3000年ごろの古代文明にまでさかのぼります。

現在世界中に広がっている「スフィンクスのなぞなぞ」も、ギリシャ神話に登場します(下)。

○朝は四本足、昼は二本足、夜には三本足になる生き物は何か?
答えは、「人間」。

さて、本書『なぞなぞ学』では、なぞなぞの歴史を調べながら日本と世界のなぞなぞを見ていきます。江戸時代のなぞかけ問答や、判じ絵、クイズと同じ点やちがう点など、くわしく解説します。また、世界各国のなぞなぞも紙面のゆるすかぎり、できるだけ多く紹介します。

一般になぞなぞの本は、子ども向けからお年寄り向けまで非常にたくさん出版されています。「脳を鍛える」といった目的をとなえるものもあります。しかし、ほとんどの本は、なぞなぞの例文集のようなものになっていて、この本のようになぞなぞを歴史的に、また、世界的に見て解説するものはあまり見かけません。

この本には、兄弟がいます。私が著した『じゃんけん学』のほか、『あやとり学』『けん玉学』『鬼学』などで、全体として「なんでも学シリーズ」を構成しています。

どの本も、それぞれのテーマに関して、真っ向勝負を試みたものです。

では、なぞなぞに真っ向から勝負を挑んだら、どうなるでしょうか。この本をよく読んで、あなたも「なぞなぞ博士」になってください。

稲葉茂勝

もくじ

この本のつかい方

この本は、パート1「なぞなぞに関する基本のQ＆A」、パート2「世界のなぞなぞベストセレクション」、パート3「なぞなぞ・なぞかけのつくり方」の３つのパートにわかれています。

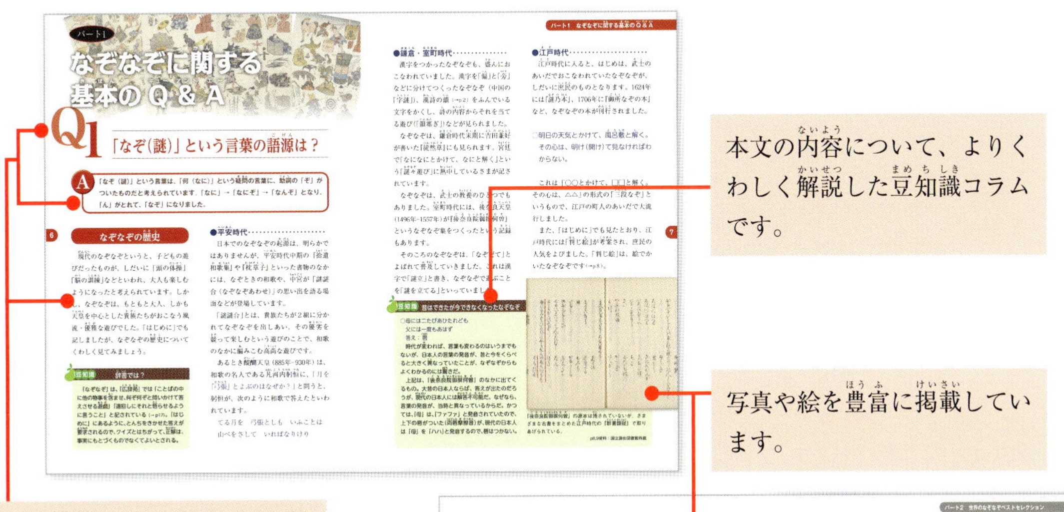

本文の内容について、よりくわしく解説した豆知識コラムです。

写真や絵を豊富に掲載しています。

パート１では、なぞなぞに関するさまざまなＱ（質問）と簡潔なＡ（答え）をかかげ、本文でさらに具体的な説明をしています。

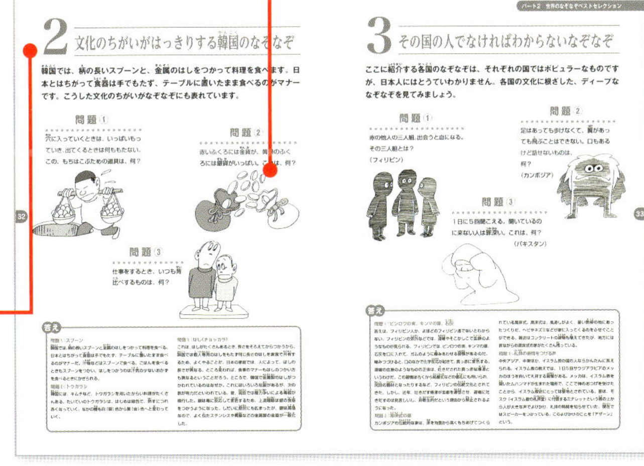

パート２では、世界各地のなぞなぞと、なぞなぞに関連した各国の文化、地理、歴史などさまざまな情報を紹介しています。

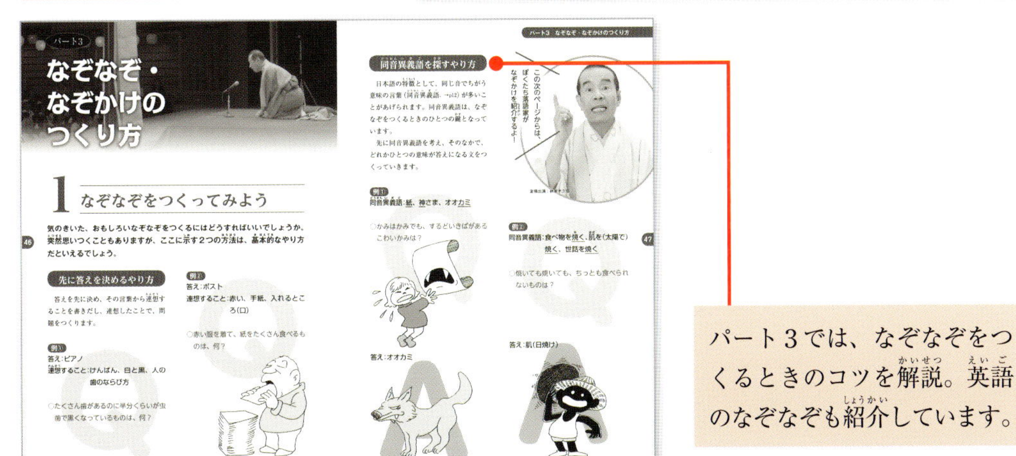

パート３では、なぞなぞをつくるときのコツを解説。英語のなぞなぞも紹介しています。

パート1

なぞなぞに関する基本のQ&A

Q1 「なぞ(謎)」という言葉の語源は？

A 「なぞ（謎）」という言葉は、「何（なに）」という疑問の言葉に、助詞の「ぞ」がついたものだと考えられています。「なに」→「なにぞ」→「なんぞ」となり、「ん」がとれて、「なぞ」になりました。

なぞなぞの歴史

現代のなぞなぞというと、子どもの遊びだったものが、しだいに「頭の体操」「脳の訓練」などといわれ、大人も楽しむようになったと考えられています。しかし、なぞなぞは、もともと大人、しかも天皇を中心とした貴族たちがおこなう風流・優雅な遊びでした。「はじめに」でも記しましたが、なぞなぞの歴史についてくわしく見てみましょう。

豆知識　辞書では？

「なぞなぞ」は、『広辞苑』では「ことばの中に他の物事を含ませ、何ぞ何ぞと問いかけて答えさせる遊戯」「遠回しにそれと悟らせるように言うこと」と記されている（→p17）。「はじめに」にあるように、とんちをきかせた答えが要求されるので、クイズとはちがって、正解は、事実にもとづくものでなくてよいとされる。

●平安時代

日本でのなぞなぞの起源は、明らかではありませんが、平安時代中期の『拾遺和歌集』や『枕草子』といった書物のなかには、なぞときの和歌や、中宮が「謎謎合（なぞなぞあわせ）」の思い出を語る場面などが登場しています。

「謎謎合」とは、貴族たちが2組に分かれてなぞなぞを出しあい、その優劣を競って楽しむという遊びのことで、和歌のなかに編みこむ高尚な遊びです。

あるとき醍醐天皇（885年-930年）は、和歌の名人である凡河内躬恒に、「月を『弓張』とよぶのはなぜか？」と問うと、躬恒が、次のように和歌で答えたといわれています。

てる月を　弓張としも　いふことは
山べをさして　いればなりけり

●鎌倉・室町時代

漢字をつかったなぞなぞも、盛んにおこなわれていました。漢字を「偏」と「旁」などに分けてつくったなぞなぞ（中国の「字謎」）、漢詩の韻（→p２）をふんでいる文字をかくし、詩の内容からそれを当てる遊び（「韻塞ぎ」）などが見られました。

なぞなぞは、鎌倉時代末期に吉田兼好が書いた『徒然草』にも見られます。宮廷で「なになにとかけて、なにと解く」という「謎々遊び」に熱中しているさまが記されています。

なぞなぞは、武士の教養のひとつでもありました。室町時代には、後奈良天皇（1496年−1557年）が『後奈良院御撰何曽』というなぞなぞ集をつくったという記録もあります。

そのころのなぞなぞは、「なぞだて」とよばれて普及していきました。これは漢字で「謎立」と書き、なぞなぞで遊ぶことを「謎を立てる」といっていました。

●江戸時代

江戸時代に入ると、はじめは、武士のあいだでおこなわれていたなぞなぞが、しだいに庶民のものとなります。1624年には『謎乃本』、1706年に『御所なぞの本』など、なぞなぞの本が刊行されました。

○明日の天気とかけて、風呂敷と解く。
　その心は、明け（開け）て見なければわからない。

これは「○○とかけて、□□と解く。その心は、△△」の形式の「三段なぞ」というもので、江戸の町人のあいだで大流行しました。

また、「はじめに」でも見たとおり、江戸時代には「判じ絵」が考案され、庶民の人気をよびました。「判じ絵」は、絵でかいたなぞなぞです（→p８）。

豆知識　昔はできたが今できなくなったなぞなぞ

○母には二たびあひたれども
　父には一度もあはず
　答え：唇

時代が変われば、言葉も変わるのはいうまでもないが、日本人の言葉の発音が、昔と今をくらべると大きく異なっていたことが、なぞなぞからもよくわかるのには驚きだ。

上記は、『後奈良院御撰何曽』のなかに出てくるもの。大昔の日本人ならば、答えが出たのだろうが、現代の日本人には解答不可能だ。なぜなら、言葉の発音が、当時と異なっているからだ。かつては、「母」は、「ファファ」と発音されていたので、上下の唇がついた（両唇摩擦音）が、現代の日本人は「母」を「ハハ」と発音するので、唇はつかない。

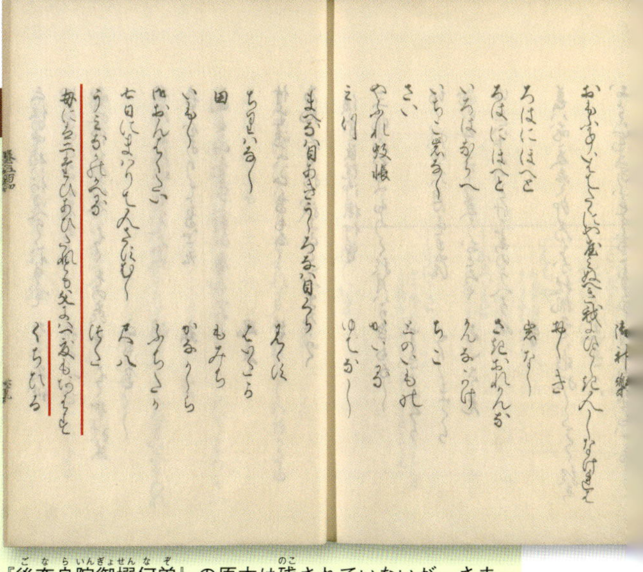

『後奈良院御撰何曽』の原本は残されていないが、さまざまな古書をまとめた江戸時代の『群書類従』で取りあげられている。

p8,9資料：国立国会図書館所蔵

判じ絵

「絵でかいたなぞなぞ」とされる判じ絵の意味を当ててみましょう。

江戸時代の判じ絵

「は（歯）」と、ねこが逆さまで「こね」。合わせると「はこね（箱根）」。

「あ」と「さ」、おならを「くさ」がっている人。合わせると「あさくさ（浅草）」。

「たい（鯛）」の頭をもった「こ（子）」。合わせると「たいこ」。

『なぞなぞ学』オリジナル判じ絵にチャレンジ！

いくつわかるかな？

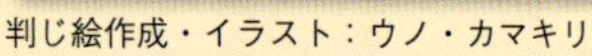

判じ絵作成・イラスト：ウノ・カマキリ

英語をつかうのもあるよ

鳴き声にも注目！

①カマキリ　②日本　③富士山　④クジラ　⑤ラクダ　⑥ごはん　⑦親子丼　⑧たまご丼　⑨カツ丼　⑩スカイツリー
⑪東京　⑫トラック　⑬パトカー　⑭ハンバーガー

●明治時代

明治時代になると、西洋からいろいろななぞなぞが日本に伝わってきます。すると、江戸時代の三段なぞがしだいにすたれていき、かわりに単純ななぞなぞの人気が出てきます。

「スフィンクスのなぞなぞ」(→p3)が日本で広く認識されたのは、明治時代に発売された雑誌『少年園』に掲載されたためだといわれています。

『少年園』は、10代の読者を対象とした児童雑誌の先駆けといわれる。

国立国会図書館所蔵

①６本足があって、そのうちの４本で歩くものがある。これは何？

②夜、私はこれを背後に置き、昼間は頭上にのせる。私はこれのおかげで生きることができ、盗賊はこれを失うことで生活する。春の木はこれのおかげで花を咲かせ、秋の草はこれのせいでしおれる。ニワトリはこれをむかえて鳴き、虫はこれを送って歌う。これとは何物？

③ヨーロッパのある大国の都市の名前を２つに離して、上半分を英語、下半分を日本語で解釈すると、同じひとつの道具になる。その都市の名前とは？

●大正時代

大正時代には、なぞなぞが『日本少年』『少年倶楽部』などの子ども雑誌で、盛んに取りあげられます。すると、なぞなぞは、子どもたちのあいだで一大ブームになりました。

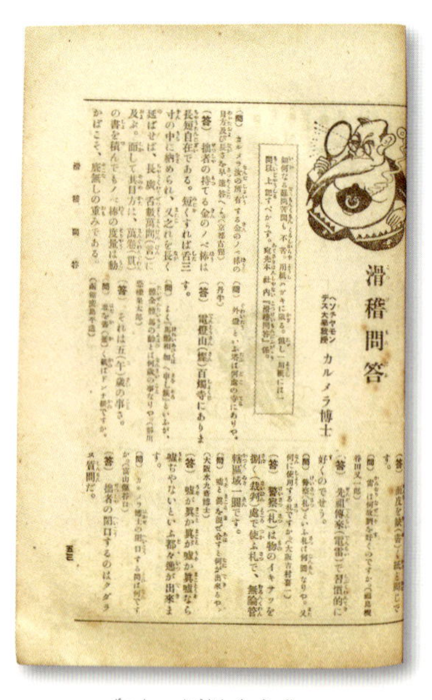
滑稽問答

カルメラ博士

大正時代の子ども雑誌『少年倶楽部』(中面)。読者が投稿したなぞなぞや質問に、博士キャラクターが答えていく「滑稽問答」は、人気のコーナーだった。また、なぞなぞの懸賞コーナーもあった。(大日本雄弁会、現在の講談社)

国立国会図書館所蔵

①毎朝来るもので、上から読んでも下から読んでも同じ品物は何？

②８を２つに割れば３に、または０になる。なぜ？

③ある人が品物を買おうとしたら売りきれていた。その人はどうした？　動物の名前で答えよう。

④生の柴を背負った老人に、どうするのかとたずねたら、魚介類の名前３つで答えた。何と答えた？

※明治・大正時代のなぞなぞは、わかりやすいように現在の言葉づかいに直して掲載している。

●昭和時代

昭和時代には、なぞなぞは、戦争の影響で一時期、下火になりましたが、戦後しだいに復活していきます。そして1966（昭和41）年に発売された『頭の体操』（光文社）により、なぞなぞブームが再燃。この本のおかげで、なぞなぞはかつてのように大人も楽しむものにもどっていきました。

「頭の体操」シリーズは第1～23集まで出版され、約40年間にわたるロングセラーとなっている。写真は1966年に出された第1集の文庫版（1999年発行）。（光文社知恵の森文庫）

①パパのきらいな果物は何？
②立つと低くなり、座ると高くなるものは何？
③すぐそばにあるのに、見えないものは何？
④猿のおならのにおいは、どのくらい？

●近年

近年、テレビでなぞなぞ番組が放映されるたびになぞなぞブームが何度も起きました。

①いつも静かなのに、なぜかおしゃべりだと思われているものは何？
②背が高くて目が3つ。無視されるのが大きらいなものは何？
③髪を引っぱられて叫んでいるものは何？
④逆立ちをすると機械になってしまう動物は何？

しかし、大人も楽しむといっても、現代のなぞなぞは、平安時代の貴族が遊んだ言葉遊びのような高尚なものとはいえません。

2004～2009年に放映された人気のなぞなぞ・クイズ番組『脳内エステ IQサプリ』は書籍化もされ、Ver.5まで発行された。（フジテレビ出版／扶桑社）

答え

●明治時代
①人の乗った馬
②太陽
③ベルリン（英語の「ベル」と日本語の「りん」は、ともに「鈴」を表す）

●大正時代
①しんぶんし（新聞紙）
②「8」の形を、たて半分にしたら「3」に、横半分にしたら「0」になるため
③ヒキカ（ガ）エル（引き帰る）
④カレイ・タラ・タコ（枯れたら焚こう）

●昭和時代
①パパイヤ
②天井
③空気
④猿のはくせえ（1968年の映画『猿の惑星』にかけている）

●近年
①シャベル
②信号
③携帯（毛いたい）
④カメ（逆さまにすると「メカ〈機械〉」になる）

漢字で「なぞなぞ」は、どう書く？

「なぞなぞ」は、漢字では「謎謎」と書きます。
中国では「謎語（ミィユィ）」といいます。

同音異義語の言葉遊び

「橋」「端」「箸」「嘴」「梯」は、どれも「はし」と読める漢字です。しかし、すべて意味がちがいます。このように、同じ読みをするけれど、意味がちがう言葉を「同音異義語」といいます。じつは、日本語は、世界の言語のなかでも同音異義語がきわめて多い言語といわれているのです。

「はじめに」に記した「参拝」と「3敗」、「三拝」も同音異義語です。

○とけなくてうれしいものは何？

「なぞなぞ」や「クイズ」は、「とけて（解けて）うれしいもの」ですが、「とけなくて（溶けなくて）うれしいもの」といえば、「アイスクリーム」といったところでしょうか。

○マッチ棒を１本くわえて、
「5＋5＋5＝5」を正しい
数式にするには？

答えは「5＋5－5＝5」か「5－5＋5＝5」です。どちらかの「＋」のたて１本を「口にくわえる」のです。どうですか？　とんちのきいた答えでは！

これは、「くわえる」という同音異義語がポイントになっています。これに対し「5＋5＋5＝550 に、１本くわえて正しい式にする」はどうでしょう。答えは、「どちらかの＋の左上にななめに１本加えて４にする」です。これはアメリカなどでよくおこなわれる riddle（→p20）ですが、なぞなぞとはいえません。また、「5＋5＋5＝15」と、答えの５の前に１本加えるというのも、クイズの答えとしてはよいのですが、なぞなぞにはなりません。

なお、「5＋5＋5＝5」も「5＋5＋5＝550」も、ともに「=」にななめ線を入れて「≠」にすることもできます。これなら、とんちのきいた答えといえるかもしれません。

昔はわからなかったが、今なら答えられる

○林は木が２本、森は３本。４本だと、何？

答えは、「ジャングル」で、子どもでも答えられるかんたんななぞなぞです。でも、江戸時代以前の人だったら答えられたでしょうか。問題自体もありえなかったのではないでしょうか。

というのは、ジャングル（jungle）が英語で、その意味が「樹木、つる植物、下草などが密生する熱帯地方の森林」だからです。英語も熱帯地方も知らなかった時代の日本人には、ありえない問題ということになります。

しかし、問題自体、江戸時代には本当にありえなかったのでしょうか。木、林、森と、木が１つ、２つ、３つがあるなら、４つの漢字の𣛧があってもおかしくありません。龍を４つならべた漢字でさえあるぐらいです。

龍龍
龍龍

読み方は「テツ」「テチ」。意味は「言葉が多い」こと（『大漢和辞典』より）。

では、「密林」が答えだとするとどうなるでしょう。辞書には「密林」は、「樹木などがすきまのないほど生い茂っている林」と書かれています。そういう林が、日本にも南西諸島などにあります。江戸時代の薩摩藩に属していた南の島じまにもありました。そう考えると、江戸時代以前に、𣛧を読ませるというなぞなぞが、なかったと断定できるでしょうか。

なお、現在の中国にも𣛧の意味を問う同じなぞなぞがあります。その答えは、「密林（ミーリン）」です。

豆知識　同じ漢字をならべた漢字

同じ漢字を複数ならべた字には、「林」「森」「品」「炎」など、よくつかわれるものもあるが、「龍４つ」のようにまったく見慣れないものもある。一例を見てみよう。

（３つならべたもの）

焱　読み方：エン
意味：火花、ほのお、火が盛んに燃えあがるさま

鱻　読み方：セン
意味：新しい、生魚、少ない

譶　読み方：トウ、ドウ
意味：早口、早口でしゃべる

（４つならべたもの）

風風
風風　読み方：ヒュウ、ヒュ
意味：風

魚魚
魚魚　読み方：ギョウ、ゴウ
意味：魚が盛んなさま

雷雷
雷雷　読み方：ホウ、ビョウ
意味：いかずちの音

「字謎」って、何？

中国では、なぞなぞを「謎語（ミィユィ）」といいますが、とくに漢字を答えさせる謎語を「字謎（ツゥミィ）」といっています。

中国の字謎（ツゥミィ）

中国の字謎（ツゥミィ）は、漢字の部首（偏・旁・冠・脚）に注目してなぞなぞをつくるものです。

○一加一不是二、请猜一个汉字。
（１＋１は２ではない。漢字１字を当ててみよう。）

答えは、「王」です。一＋一を上下に書いてみると「王」になるということです。

○我没有他有、天没有地有是什么？
（私になくて彼にある。天にはなくて地にはあるものは、何？）

答えは「也」です。中国語の「我」は、日本語の「私（わたし）」の意味で、「他」は、「彼（かれ）」です。「他」と「地」の旁は「也」となっているので、「私になくて彼にある。天にはなくて地にはあるもの」は、「也」というわけです。

日本では字謎（じなぞ）

漢字を偏・旁・冠・脚などに分けて示し、その漢字を当てさせるなぞなぞは、日本でも古くは、平安時代から貴族たちによって楽しまれていました（→p7）。

この種のなぞなぞは、中国語の字謎からきたもので、かつて日本でも、そのままで「字謎（じなぞ）」とよばれていました。

字謎は、「文字謎」「字の謎」と書く、日本で独自につくられたものもありました。『万葉集』には、「字の謎」として「山上復有山（山の上にまた山がある）」＝「出」が登場しています。

このような字の謎は、その後どんどんつくられました。

また、「八十八」＝「米」とするような遊びが、人びとのあいだで楽しまれるようになりました。なぞなぞとして楽しまれるだけでなく、粋な言葉遊びとして庶民のあいだに広まったのです。

- 傘寿／傘の略字は、「仐」。上下を分解すると八十。80歳
- 米寿／米を分解すると八十八。88歳
- 白寿／百から、上の一をとると白、百引く一は九十九。99歳
- 茶寿／横に２個十がならんで20を意味する草冠の下に、八十八が加わり合計百八。108歳

十十 ➡ 卄

現代日本の「字の謎」の例

昔から楽しまれてきた字の謎は、現代でも人気があります。13ページの桛もその例です。これらの字謎は、いつどこでつくられたかはわかりませんが、下の⓭～⓯は、中国でもまったく同じ字謎があります。

①革が化けたら何になる？
②大きくなると点がつく動物って、何？
③耳を食べると何になる？
④魚の師匠はだれ？
⑤みんながほしがる丸い漢字は？
⑥草をかぶって人が木の上にいる。さて、何の木？
⑦愛のまんなかにあるものとは？
⑧あなにかくれている数字は、いくつ？
⑨ヘビの口から出るものは、何？
⑩月が右側に見えるのは、いつ？
⑪海に水なく、木が１本。12月（旧暦）に花開き、部屋じゅういいかおり。これは、何？
⑫手に似ているけれど手ではなく、うでが外側にまがっている。これは、何？
⓭鏡のなかにうつった人は、何？
⓮兄にあって弟にない、呉さんにあって李さんにないものは、何？
⓯「明るい」には１つ、「暗い」には２つあるものは、何？

⓭ 镜中（チン チュオン）人（レン），
（鏡のなか）（人）
是（シィ） 什么（シェン マ） 字（ツゥ）？
（です） （何） （字）

⓮ 哥哥（コォ コ） 有（ヨウ） 弟弟（ティ ティ） 无（ウ），
（兄） （ある） （弟） （ない）
老吴（ラオ ウ） 有（ヨウ） 老李（ラオ リィ） 无（ウ），
（呉さん） （ある） （李さん） （ない）
是（シィ） 什么（シェン マ） 字（ツゥ）？
（です） （何） （字）

⓯ 明中（ミン チュオン） 有（ヨウ） 一个（イー コォ），
（明るいなか） （ある） （ひとつ）
暗里（アン リィ） 有（ヨウ） 两个（リィアン コォ），
（暗い）（ところ） （ある） （ふたつ）
是（シィ） 什么（シェン マ） 字（ツゥ）？
（です） （何） （字）

豆知識　秀作と駄作

漢字の形に注目してつくられた字謎には、秀作もあれば駄作もある。「月が右側に見えるのは、いつ？」（答え：朝）は、秀作の部類に入る。月を見て、西側・東側というより、何かの右側・左側ということはよくある。「いつ」と聞かれ、答えるのが「朝」というのもしゃれている。月は夜見えるという先入観をくつがえしてくれる痛快さもある。

反面、朝が答えとされる字謎に「朝、昼、夜のなかで、必ず月が見えるのはいつ？」といったものがある。いかにも駄作といえる。

答え
①靴　②犬　③餌　④鰤　⑤円（お金の「円」にかけている）　⑥茶　⑦心　⑧八（あな＝穴）
⑨水道の水（ヘビの口＝蛇口）　⑩朝　⑪梅　⑫毛　⓭入　⓮口　⓯日

Q4 「クイズ」と「なぞなぞ」は、どうちがう？

「クイズ」は、問題に答える遊びのこと。言葉によるものもあれば、絵によるものやパズルなどもあります。

似て非なるもの

「とんち」は、漢字で書くと「頓智」または「頓知」です。その場に応じて即座に出てくる知恵などを意味します。問いかけに対し、ただ答えるのがクイズで、とんちをきかせて答えるのがなぞなぞです。では、次のクイズはどうでしょう。

○1トンの鉄と1トンの綿では、どっちが重い？

「鉄」と「綿」の印象から鉄が重いと答える人がいますが、答えは、「同じ」です。

○120度のお湯と80度のお湯では、どちらが熱いでしょうか？

水は100度で蒸発するので「120度のお湯」はありません。答えは、「80度のお湯」です。これらの問いには、とんちをきかせて答えていませんので、これらは、知識が決め手のクイズということになります。

それでも、ふつうのクイズとはちょっとちがいます。「ひっかけ」のある「ひっかけクイズ」とよぶものです。

○日本で一番北にある県は、どこ？

つい「北海道」と答えてしまう人がいるでしょう。でも、北海道は県ではありません。答えは、「青森県」です。

○「あいうえお」は、何文字？
英語のアルファベットは、何文字？

「あいうえお」は、5文字。アルファベットは、英語で書くと alphabet で、「8文字」です。これらも「ひっかけクイズ」です。クイズとなぞなぞが、似て非なるものだとわかるでしょう。

とんちクイズ

○灰色の犬、黒色の犬、茶色の犬のうち、ほえないのは、何色の犬？

これは、ほえないということは「黙っている」ということで、正解は「黒い犬」。

このようなクイズには、なぞなぞの要素がふくまれています。なぜなら、ただの知識では答えられないからです。いいかえると、とんちをきかせてはじめて答えが出る「とんちクイズ」です。

「なぞかけ話」とは？

『広辞苑』には「なぞかけ」は、なぞなぞと同義語と記されています。でも、なぞかけとなぞなぞは、同じものなのでしょうか。

「なぞなぞ」と「なぞかけ話」

世界中の多くの国にも、昔から伝わる「なぞかけ話」というものがあります。次は、多くの国で語りつがれているものです。

○１人の男が、舟で川向こうまでヤギとオオカミとキャベツを運ぶ。
１回で１つしか運べない。放っておくとオオカミはヤギを食べる。
ヤギは、キャベツを食べる。どうやって運ぶ？

『広辞苑』では、なぞなぞについて、「ことばの中に他の物事を含ませ、何ぞ何ぞと問いかけて答えさせる遊戯」「遠回しにそれと悟らせるように言うこと」と書いてあります（→p6）。しかし、左のなぞかけ話は、それとはちがいます。「何ぞ何ぞと問いかけるもの」ではありませんし、「遠回しに正解を悟らせるもの」でもありません。

『広辞苑（第六版）』（岩波書店）

左のなぞかけ話は、純粋に推理を楽しむ言葉遊びだといえます。「なぞなぞ」と「なぞかけ」の関係も、「なぞなぞ」と「クイズ」の関係と同じで、似て非なるものです。

答え

A：①ヤギを向こう岸に運ぶ
②１人でもどる
③オオカミを向こう岸に運ぶ
④ヤギを連れて帰る
⑤キャベツを運ぶ
⑥１人でもどる
⑦ヤギを運ぶ

B：①ヤギを向こう岸に運ぶ
②１人でもどる
③キャベツを向こう岸に運ぶ
④ヤギを連れて帰る
⑤オオカミを運ぶ
⑥１人でもどる
⑦ヤギを運ぶ

ファンタジーにおける「なぞかけ話」

なぞかけ話というと、思い出されるのが、ファンタジーだという人は、きっと多いでしょう。

ドラゴンは謎かけが大好きで、謎かけを知的・言語的挑戦とみなしている。怒ったドラゴンも、謎かけ合戦をしかければおとなしくなり、その勝負の結果を受け入れるだろう。ルールは単純だ。どちらかが答えられなくなるまで、交互に問題を出し合うのだ。挑戦者が先攻となる。ただし、忘れてはならない。ドラゴンは、おそらく古い謎謎は知っている。だから危機に瀕した時、ドラゴンにスフィンクスの謎謎を出してはならない。彼らはたやすく答えてしまうだろう。昔の名人は、よく謎謎をマザーグースなどの童謡に見せかけたものだ。こうすれば代々伝わることを知っていたのである。

上は、Dragonology（邦題『ドラゴン学』、今人舎）というイギリスのベストセラーファンタジーに出てくる一節です。『ドラゴン学』は、世界30か国以上で翻訳され、全世界で数百万部を売り上げた（アメリカでは１年間で100万部以上）といわれています。『ドラゴン学』には、右上のような記述もあります。

1797年、アヒルのようなくちばしをもつカモノハシのことを初めて耳にしたとき、科学者たちは一笑に付した。哺乳類でありながら、鳥のように、くちばしと、水かきの付いた足をもち、卵を産む生物など、存在するはずがないではないか？　標本を見せられたときですら、彼らは「インチキだ！」と叫んだのだ。だが1884年に、カモノハシが卵を産むという物的証拠が発見されると、もっとも懐疑的な者でさえ考えを改めた。

知識豊かなドラゴン学者ならば、チャールズ・ダーウィンが、彼の著作『種の起源』（1859年）で言及したように、あらゆる生物と同様、ドラゴンも、生息環境を最大に生かすように進化してきたという結論に達するに違いない。

『ドラゴン学』は、ダーウィンの『種の起源』までもちだして、ドラゴンの存在を証明しようとしています。が、それ自体が、なぞかけのようなものだといえます。

大型のしかけ絵本『ドラゴン学』。（今人舎）

ドラゴンのなぞかけ話

ここでは、『ドラゴン学』と、姉妹本の『ドラゴン学入門』にのっているなぞかけ話を紹介します。

①色は1色だけど、大きさは1種類ではなく、底がくっついているけど、簡単に飛んで、日が照ると現れ、雨が降ると姿が見えなくて、何の悪さもせず、痛みも感じないものは？

②どんなに力を入れても通り抜けられないのに私は優しく触れるだけで通り抜けられる。私がいないと町中で立ち往生する人がたくさんいる。私はだあれ？

③上ったり下ったり、曲がったり横にそれたりするのに、いつでもじっと動かないものは？

④丘いっぱい、穴いっぱいにあるのに、ボウル1杯分すら捕まえることができないものは？

⑤鳥の一部だけれど、空中にはない。海を泳ぐことができても、いつも乾いている。それは、何？

⑥セント・アイヴスへ行く途中、7人の妻をもつ男に会った。妻はそれぞれ7つの袋をもち、袋にはそれぞれ7匹の猫が入っていて、猫にはそれぞれ7匹の子猫がいた。子猫に、猫に、袋に、妻、セント・アイヴスへ向かっていたのは何人？

⑦私は、愛情や健康をもたらすことはできない。それでも、人間とドラゴンは、私のことを石のように冷たく、かたい富を約束するものだと信じる。富を得たと噂の立つ所に私はいる。私はだあれ？

⑧ミルクのように白い大理石の壁に絹のように柔らかな肌が裏打ちされ、透き通った泉の中に、金色のリンゴが現れる。砦に扉はないけれど、泥棒は押し入って黄金を盗む。この砦は何？

⑨乾けば乾くほど濡れたくなるものは、何？

⑩腹の中のおもり、背中の上の木々、あばら骨の中の釘。足はない。私は、誰だ？

答え

①影　②鍵　③道（上り坂でも道自体は動かない）　④霧やかすみ　⑤鳥の影
⑥1人　⑦ダイヤモンド　⑧たまご（壁は殻、泉は卵白、リンゴは卵黄）　⑨タオル　⑩船

「なぞなぞ」は、英語でどういうの？

「はじめに」で記したとおり、なぞなぞは、英語で riddle。
「なぞなぞを出す」は、ask a riddle。「答える」は、answer（答える）、solve（解く）、guess（当てる）などの単語がつかわれます。

「ぼくはきみになぞなぞを出すよ」

「〜は…になぞなぞを出す」を英語にすると、次のようになります。

〜 will ask … a riddle.

・I will ask her a riddle.
私は彼女になぞなぞを出す。

・She read* the riddle.
彼女はそのなぞなぞに答えた。

＊read は read の過去形。

read（読む）もつかわれる！

read という単語は、「読む」という意味です。「なぞなぞを読む」ということに違和感を感じるかもしれませんが、そもそも日本語の「なぞなぞを出す」というのも妙ないい方です。まして室町時代の「謎を立てる（→p７）」といういい方は、何かふしぎな気がします。

ricinolein　　2116　　2117

ric·in·ole·in /rìs(ə)nóuliən/ *n* 〘化〙リシノリン《リシノール酸のグリセリンエステル; ひまし油の主成分》.
ric·i·nus /rís(ə)nəs/ *n* 〘植〙トウゴマ《トウゴマ属 (*R-*) の植物の総称》. [L＝castor-oil plant]
rick[1] /rík/ *n* 《おおいのついた乾草などの》堆積, 稲むら, 乾草積み; たきぎ[薪, 材木]の山; 《樽・箱を収納する》棚枠. —*vt* 〈麦・乾草などを〉積み重ねる, 稲むらにする. [OE *hrēac*<?]
rick[2], **wrick**ᴵᴵ /rík/ *vt* 〈首・背骨・関節を〉少しひねる, …の筋を違える. —*n* (ちょっと)ひねること, 筋違え, くじき: give one's back a ～ 背中の筋を違える / have a ～ in one's neck 首の筋を違える. [MLG *wricken* to move about, sprain]
rick[3] *n* 《俗》《詐欺師の》相棒, サクラ (gee).
Rick リック《男子名; Eric, Richard の愛称》.
Ric·ken·back·er /ríkənbӕkər/ リッケンバッカー **Edward Vernon** ～ [**'Eddie'** ～] (1890–1973)《米国の撃墜王・航空会社経営者》.
rick·er /ríkər/ *n* 《ニュ》カウリマツ (kauri) の若木.
rick·ets /ríkəts/ [〈*sg/pl*〉] 〘医〙*n* 佝僂(くる)病; 骨軟化(症) (osteomalacia). [C17<?; cf. Gk *rhakhitis* rachitis]
rick·ett·sia /rɪkétsiə/ *n* (*pl* **-si·as, -si·ae** /-siìː-, -siàɪ/, ～) 〘生〙リケッチア属 (*R-*) の各種《グラム陰性の微小球菌[桿菌]様微生物》. **rick·étt·si·al** *a* [Howard T. *Ricketts* (1871–1910) 米国の病理学者]
rickéttsial diséase 〘医〙リケッチア感染症《発疹チフス・紅斑熱・Q 熱・ツツガムシ病などの急性熱性疾患》.
rick·ety /ríkəti/ *a* 佝僂病 (rickets) にかかっている, せむしの; 関節の弱い, よろよろする; ぐらぐらする, 倒れ[壊れ]そうな. **rick·et·i·ness** *n*
rick·ey /ríki/ *n* リッキー《アルコール性飲料と炭酸水の中にライム果汁を入れたもの; 時にアルコールを含まないものも指す》. [C20 < *Rickey* 人名]
rick·le /rík(ə)l/ 《スコ・アイル・北イング》*n* 乱雑に積んだ山; 乾草などの山. —*vt* 積んで山にする.
rick·rack, ric·rac /ríkrӕk/ *n* リックラック, 蛇腹《縁飾り用のジグザグ形をした平ひも》. [加重 < *rack*[1]]
rick·sha, -shaw /ríkʃɔː/ *n* 人力車 (jinrikisha); 輪タク (trishaw). [Jpn]
rick·stànd *n* 乾草積み台.
rick·yàrd *n* 乾草積み場[庭].
ricky-tick /ríkitík/ *《俗》*n* 《音楽の》チャカチャカ; リッキーティック《テンポが速く機械的・規則的なビートの, 1920 年代のラグタイム[初期のスウィング](ふうのジャズ)》. —*a* リッキーティックふうの; 古臭い, 陳腐な; 安ピカの, キンキラの.
ricky-tícky *a, n* *《俗》RICKY-TICK.
RICO Racketeer Influenced and Corrupt Organizations (Act).
ric·o·chet /ríkəʃèɪ, ᴵᴵ-ʃèt/ *n* 跳飛《弾丸などが水切りをした石のようにはねながら飛ぶこと》; 跳弾. —*vi* (～**ed** /-ʃèɪd/, **-chet·ted** /-ʃètəd/; ～**·ing** /-ʃèɪɪŋ/, **-chet·ting** /-ʃètɪŋ/) 〈弾丸などが〉跳飛する, 斜めにはね返る 〈*off*〉. [F<?]
Ri·cœur /*F* rikœːr/ リクール **Paul** ～ (1913–)《フランス

rid·den /ríd'n/ *v* RIDE の過去分詞. —*a* 支配された, しいたげられた; …に悩まされた, 苦しめられた; …のさばる, …だらけの: fear-～ 恐怖におびえた / priest-～ 僧侶のはびこる.
rid·dle[1] /ríd'l/ *n* なぞ, 判じ物; 不可解なもの[こと]; 不可思議な人物: ask [propound, set] a ～ なぞをかける / solve [read, guess] a ～ なぞを解く / speak in ～*s* なぞをかける, なぞめいたことを言う. —*vi* なぞをかける, なぞめいたことを言う, なぞを出す. —*vt* 〈なぞなどを〉解く; なぞめかす, 不可解にする, 惑わす: *R*～ me this. このなぞ[秘密]を解いてくれ / *R*～ me, ～ me. さあこのなぞ解いたり解いたり. **ríd·dler** *n* なぞをかける人. [OE *rǣdels(e)* opinion, riddle (*rǣd* counsel; ⇨ READ[1]); -*s* を複数語尾と誤ったもの; cf. CHERRY, PEA]
riddle[2] *n* 粗目ふる[illegible] —*vt* **1** 〈穀物など[illegible] 〈証拠・事実などを〉[illegible] らけにする; [*fig*] 事[illegible] 質問攻めにする: [illegible] する. **b** すっかり堕[illegible] —*vi* ふるいを使う[illegible] **～d with**… 〈床・[illegible] ある; 〈議論・事件な[illegible] *hriddel* < *hrīder*; [illegible] sieve]
ríd·dling *a* なぞ[illegible] ～ speech なぞめい[illegible]
ride /ráɪd/ *v* (**rod**[illegible] に》乗る, 乗って行く[illegible] る, またがる; 〈動物[illegible] *in* [*on*] a train 列[illegible] ～ *on* horseback [illegible] ～ double 馬に二人乗りする / ～ bareback 裸馬に乗る / ～ astride [sidesaddle] 馬にまたがって乗る[横乗りする] / He jumped on his horse and *rode off* [*away*]. 馬に飛び乗って走り去った / He *rode over* to see me yesterday. 馬に乗って会いに来た / ～ *at* full gallop (全速力で)疾駆する / ～ *on* sb's shoulders 肩車をしてもらう. **b** 〈馬などが〉乗れる, 乗りごこち[走りぐあい]が…である; 〈走路などが〉乗りぐあいが…である: a horse that ～*s* easily 御しやすい馬 / The course *rode* soft after the rainfalls. 雨後でコースは軟らかすぎた. **c** 乗馬服で…の目方がある: I ～ 12 stone. 乗馬服を着て目方が 12 ストーンだ. **2 a** 浮かぶ, 停泊する; 〈月・太陽が〉《空中に》浮かぶ, かかる; 《流れに》乗って進む[走る]: A ship ～*s at* anchor. いかりをおろして停泊している / The moon was *riding* high. 月が空高く上がっていた / The boat *rode over* angry waves. 小船はたけり狂う波を乗り越えて行った. **b** [*fig*] 〈…に乗って〉進む, 運ばれて行く, '乗る' 〈*on*〉; 《口》〈事などが〉妨げられずに進行する, なるがままになる; 〘ジャズ〙《テーマをもとに》アドリブで変奏する, 《スウィング感のある》乗った演奏をする: ～ *on* the wave of popularity 人気の波に乗る / distress *riding* among the people 人びとの間に広がる困窮 / let sth ～ ⇨ 成句. **3 a** 掛かる, 載せられている, (支えられて)動く; 〈…に〉賭けられる 〈*on*〉: The wheel ～*s on* the axle. 車輪は車軸で回る. **b** 〈…に〉依

す. ～ **and tie** 《古》《2 人以上で》交代に一頭の馬[illegible] く《先にある距離を馬で行った人が馬をつないで徒歩で[illegible] 追いついた人が馬で追い越す》. ～ **at**… 馬などを…に[illegible] む. ～ **circuit** 巡回裁判を開く. ～ **down** 馬で[illegible] つく, 馬で追い詰める; 馬で突き倒す, 馬で踏み倒す[踏[illegible] 圧倒する; 〈馬を〉乗りつぶす; 〘海〙〈ロープを〉体重で押[illegible] ～ **easy** 〘海〙錨に負担をかけない. ～ **for a fall** む[illegible] り方をして災難を招く; [ᵁ*pres p*] むちゃなことをする. [illegible] 強引な乗り方をする. ～ **herd on** *馬に乗って家畜[illegible] *《口》見張る, 取り締まる, 監督する. ～ **high** 成功[illegible] くやる. ～ **no hands** 両手をハンドルから離して[両[illegible] 自転車に乗る. ～ sb **off** 〘ポロ〙球と敵との間に馬を[illegible] ～ **off in all directions** *《口》[illegible]
[illegible]《ジェットコースター・観覧車など》; 《俗》競走馬; *《俗[illegible] 《特に 車高の低いもの》: an easy ～ 御しやすい馬《な[illegible] 軍》補充騎兵隊. **3 a** 〘ジャズ〙アドリブの部分; *《俗》[illegible] CYMBAL. **b** *《俗》楽なやり方; 《だれでもできる》おもし[illegible] 《俗》楽しい経験, 麻薬に酔うこと, トリップ. **along**[illegible] ～ 《口》おもしろ半分で参加して, 尻馬に乗って: go [illegible] *along for the* ～ ひやかしてついて行く[来る] / go to [illegible] eral just *for the* ～ おもしろ半分で参加する. **ha**[illegible] sb] **a rough** ～ いやなめにあう[あわせる]. **take** sb[illegible] 《俗》〈ギャングなどが〉人を車で連れ出して殺す, 殺害[illegible] 人をだます, ペテンにかける.
[OE *rīdan*; cf. G *reiten*]
rideable ⇨ RIDABLE.
Ríde a Còck-Hórse 「おうまさんでバンベリー[illegible] cock-horse to Banbury Cross' で始まる英国の童[illegible] sery rhyme); 幼児をひざに載せてゆすりながら歌って[illegible]
ríde cỳmbal ライド(シンバル) (＝ride)《ジャズや[illegible] ラム奏者が一定のリズムをとるためにたたく中型のシン[illegible]
ríde·màn 《俗》*n* *《遊園地などの》回転木馬[ジェ[illegible] ターなど]運転係; よくスウィングするミュージシャン, の[illegible] リブ奏者.
ri·dent /ráɪd'nt/ *a* 《古》笑っている, 破顔の, 欣然[illegible]

rid·dle[1] /ríd'l/ *n* なぞ, 判じ物; 不可解なもの[こと]; 不可思議な人物: ask [propound, set] a ～ なぞをかける / solve [read, guess] a ～ なぞを解く / speak in ～*s* なぞをかける, なぞめいたことを言う. —*vi* なぞをかける, なぞめいたことを言う, なぞを出す. —*vt* 〈なぞなどを〉解く; なぞめかす, 不可解にする, 惑わす: *R*～ me this. このなぞ[秘密]を解いてくれ / *R*～ me, ～ me. さあこのなぞ解いたり解いたり. **ríd·dler** *n* なぞをかける人. [OE *rǣdels(e)* opinion, riddle (*rǣd* counsel; ⇨ READ[1]); -*s* を複数語尾と誤ったもの; cf. CHERRY, PEA]

『リーダーズ英和辞典（第二版）』（研究社）に掲載されている riddle の項。

英語にも、文字に関するなぞなぞがあるの？

文字に関するなぞなぞは英語にもありますが、英語では、文字（アルファベット）ではなく、単語で答えるのがふつうです。

なぞなぞといえない riddle も多い！

何度もくりかえしていますが、なぞなぞはとんちをきかせた答えを要求するもので、クイズとはちがいます。しかし、英語の riddle は、クイズとちがうといいきれるでしょうか。

英語の riddle としてよく知られる、次の問いについて見てみましょう。

○The word 'candy' can be spelled using just two letters.
Can you figure out how?
（candyという単語を、アルファベット２文字で書きあらわすとどうなる？）

この答えは、「c & y」。これは、& を and と読むことから、c and y、すなわち candy となるのです。これはとんちがきいた答えだといえないこともありません。ところが英語の riddle のなかには、とんちがきいているかどうかというと、大いに疑問が出てくるものが多くあります。

アメリカの子どもたちがよくいう、右上の riddle はその典型です。

○What state is surrounded by the most water?
（もっとも大量の水にかこまれた州はどこ？）

答えは、「Hawaii（ハワイ州）」です。これは、なぞなぞというより、クイズというべきもの。ところが、それでもアメリカでは、riddle として多くの子どもたちが楽しんでいます。その理由は、アメリカでは、その問いに対し、フロリダ州、アラスカ州、カリフォルニア州などと答える人が多いからだと考えられます。とんちのきいた答えがなぞなぞのポイントだとすれば納得がいきません。

アメリカの国旗には50の州を意味する星が50個えがかれている。その星のひとつがハワイ州だ。

quiz という単語の起源

A　quiz という単語は、1790年ごろ、アイルランドのダブリンにある劇場の支配人が、街じゅうに quiz と落書きをしたことから広まり、人びとがその言葉をつかうようになり、とうとう辞書にまでのったといわれています。

アメリカの quiz と日本のクイズ

一般に quiz（クイズ）は、知識を問うものです。アメリカなどでは、先生が生徒に対して問う、かんたんな知識問題を意味しています。

一方、日本では、クイズという言葉は、かくされたものをいいあてる遊びとしてつかわれだしました。

ところが現在では、クイズには、まっこうから知識を問うもののほか、「ひっかけクイズ」や「とんちクイズ」など、さまざまなものがあります（→p16）。なぞなぞも、クイズの一種とされることもあります。

©Antoniodiaz-Dreamstime.com

アメリカなどでは、学校の授業のはじめや終わりにおこなわれる小テストを quizという。

豆知識　quiz の起源は諸説ある

クイズの起源とされることとして、あるエピソードが伝わっている。18世紀末、アイルランドの首都ダブリンにある劇場の支配人が、無意味な新語をつくって、その言葉を流行させられるかどうかを、友人と賭けたというもの。できると主張した支配人が、街のいたるところに quiz と落書きをした。その結果、quiz という言葉が生まれ、今では世界中に広まったという。まことしやかなこの起源話だが、ラテン語の quis（何）に由来するという説もある。

©Leonid Andronov-Fotolia.com

ダブリンにあるハーフペニー橋。観光スポットとして有名。

「パズル」って、何？

「パズル」は、英語の puzzle にあたり、古くは「なぞ解き」「判じ物」とよばれていたものです。推理を働かせて答えていくのが特徴で、題材によって「文字パズル」「数字パズル」「図形パズル」などがあります。

パズルとクイズのちがい

パズルは、論理的思考能力をつかってなぞ解きしていくもので、知識をおもに用いるクイズとは大別されています。

また、パズルが図形、イラスト、文字の配列などをつかって、時間をかけて解いていくものであるのに対し、クイズは、おもに言葉や文章による出題に答えるものをさすという区別もあります。

文字に関するクイズは、漢字の国特有のものではありません。英語の riddle にも文字のクイズがあります。

○What's K in G？

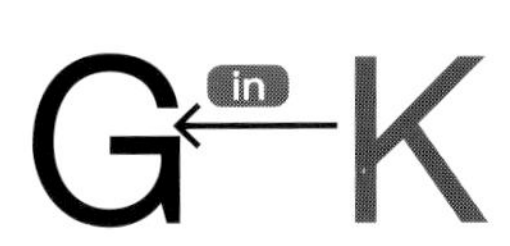

○What's S on G？

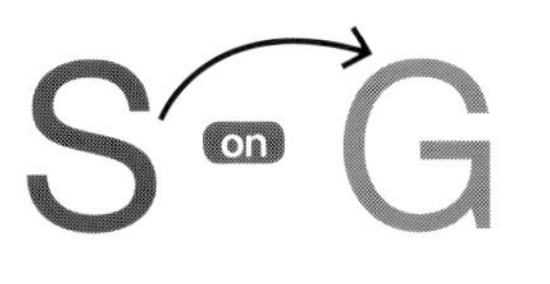

上の答えは、「KING」と「SONG」です。

○The word 'tea' can be spelled using just a letter. Can you figure out how？（teaという単語は、１文字だけで書けるが、どう表したらよいか？）

答えは、「T」ですが、このクイズの tea を you にすれば、「U」が答えとなり、bee にすれば、「B」となります。

21ページで、英語の文字に関する riddle は「文字を答えるのではなく、単語で答えるのがふつうです」と記しましたが、少ないながら上のようなものもあります。

豆知識　英語の同音異義語!?

英語にも同音異義語があり、homonym（ホモニム）とよばれている。

bare … 裸の　bear … クマ
buy … 買う　by … ～のそばに
dear … 親愛な　deer … シカ
flower … 花　flour … 小麦粉
hair … 髪、毛　hare … 野ウサギ
hour … 時間　our … 私たちの
meat … 肉　meet … 会う
rain … 雨　reign … 治世、統治する
peace … 平和　piece … 一片
steal … 盗む　steel … 鋼鉄
tail … 尾　tale … 話
wait … 待つ　weight … 重さ

これらは、読み方が同じで書き方（スペル）が異なる単語だ。

Q10 『鏡の国のアリス』に出てくるハンプティ・ダンプティって、何？

A ハンプティ・ダンプティの絵を見れば、答えは、たまごとわかるでしょう。じつは『鏡の国のアリス』では、このなぞなぞは歌となって登場しているのです。

マザーグースのなぞなぞ

○ハンプティ・ダンプティ、塀の上
ハンプティ・ダンプティ、転がりおちた
王様の馬をみんな集めても
王様の家来をみんな集めても
ハンプティをもとにもどせなかった
（ハンプティは、何？）

この歌は、今では世界中に知れわたっているので、なぞなぞとは、いえないかもしれません。ハンプティ・ダンプティのずんぐりした体形は、まさにたまご！

あえて説明すれば、「割れてしまったら、たとえ王様だってもとにもどせない」ということです。

『鏡の国のアリス』に登場するハンプティ・ダンプティ。

豆知識　マザーグースとは

『鏡の国のアリス』は知っていても、マザーグースのことをよく知らないという人は多いのではないだろうか。「マザーグース」とは、イギリス・アメリカの伝承的な童謡・遊び歌の総称で、イギリスでは「ナーサリー・ライム」といっている。

英語圏の子どもたちは、このマザーグースの歌を聞いて育ったといわれるほど大人気の歌がいっぱい出てくる。日本でもよく知られている「ロンドン橋が落ちた……」ではじまる遊び歌もマザーグースのひとつだ。

♪ロンドン橋が落ちた　落ちた　落ちた　ロンドン橋が落ちた　マイフェアレディ＊♪

マザーグースは、口から口へと伝わってきた童謡なので、原語では韻がふんであったり、くりかえしの言葉が多かったりなど、言葉の調子がいいのが特徴だ。なかには、意味がよくわからないナンセンスなものや、ちょっと残酷だなと思うような表現まである。

＊なぜ「マイフェアレディ」なのか、イギリスでもなぞとされている（日本ではこの部分に「さあ、どうしましょう」が当てられている）。

「なぞなぞ(KHM22)」という話があるのは、『グリム童話』『イソップ寓話』のどっち？

『グリム童話』には、なぞかけ話が取りいれられている話が少なくありません。題名がそのままの「なぞなぞ」という話もあります。

『グリム童話』のなかの「3つの花」

○野原に見かけもかおりもそっくりな３つの花が咲いていた。３人の女の人が魔法で花にされているのだった。そのうちの１人だけは、夜のあいだにかぎって、自分の家に帰ることが許されていた。あるとき、夜明けに野原にもどる前に、女の人が彼女の旦那さんにいった。「今日の昼前、あなたが野原にきて、私の花を折りとってください。そうすれば、魔法がとけて、私は昼も夜もあなたといっしょにいられるようになります」。旦那さんはどうやって奥さんの花を見分けたのか。

これは『グリム童話』に出てくる「３つの花」とよばれるなぞかけ話です。答えは、「奥さんの花だけは夜、家のなかにいるため、夜露がおりていなかったから」です。

『グリム童話』は、ドイツのグリム兄弟が1812年から1857年にかけて民間伝承を聞きとってまとめたものです。200あまりの昔話がおさめられています。「赤ずきん」「ブレーメンの音楽隊」など、世界中で知られるようになった話もあります。そうした話のなかにもなぞかけ話がけっこうたくさん登場してきます。「なぞなぞ(KHM22)」という題名の「なぞなぞ」の話もあります。

豆知識　「なぞなぞ（KHM22）」のあらすじ

ある国に、「自分に解けないなぞかけ話を出した者と結婚する」という王女がいた。ただし、王女がなぞかけ話を解いたら、出題した男は殺される。９人が挑戦し、殺されたが、10人目の男が、自分の体験をもとにして「『ある人が、１人も殺さずに12人殺した』とは何か」というなぞかけ話をした。その男の体験とは、ある老婆から渡された飲み物を自分は飲まないで馬にやったところ、馬が死に、その肉をカラスが食べ、そのカラスを12人が食べて、みな死んだというもの。

王女はこのなぞかけ話を解くことができず、侍女らに答えをさぐらせるが失敗。ついに王女自身がコートを着て身分をかくし、男のもとを訪ねて答えを聞きだすが、コートをうばわれる。翌朝、王女は答えをいうが、コートの件から策略を用いたことがばれてしまう。最終的に、王女と男は結婚する。

Q12 「カラスと水がめ」という話があるのは『鏡の国のアリス』『グリム童話』『イソップ寓話』のどれ？

A **『イソップ寓話』には、子ども向けに人生の教訓を語る短い話が500近く集められています。「カラスと水がめ」は、世界中に知られているもっとも有名な話のひとつです。**

『イソップ寓話』のなかの「カラスと水がめ」

○のどがカラカラに乾いたカラスが水差しを見つけ、喜んで水差しに向かった。だが、水差しには水が少ししか入っていない。カラスのくちばしでは水面まで届かない。それでもカラスはあきらめず、いろいろな方法を試みたが失敗。しかし、ついに名案を思いつく。それは？

この話は、『イソップ寓話』のなかの「カラスと水がめ」。答えは、「小石を水がめのなかに落とし、水位をあげて水を飲んだ」です。『イソップ寓話』の多くには、擬人化された動物が出てきます。

『イソップ寓話』は、『イソップ童話』『イソップ物語』などともよばれ、日本でも古くから親しまれてきた。写真は、昭和24年に出版された本。

国立国会図書館所蔵

豆知識　イソップという人物・カラスの観察

『イソップ寓話』には「アリとキリギリス」など世界的に有名な話が数かずある。イソップ(Aesop)は紀元前600年ごろのギリシャの人物といわれている。たくみな話術で奴隷の身分から解放されたといわれ、数多くの教訓めいた物語を残した。「ウサギとカメ」「金の斧」「金のたまごを産むガチョウ」など、だれもが知っている話の数かずだ。しかし、カラスについては物語の世界でなく、現実に非常にかしこいことが、最近の研究でわかった。イギリスのケンブリッジ大学では、水の入ったプラスチックケースに虫を浮かべ、カラスが虫を食べるようすを観察。カラスは、石を落とすことで、水位を上昇させたという。

なぞかけ話に深い教訓

「寓話」とは、教訓を目的とした短い話のこと。古代ギリシアではヘシオドス、アルキロコスなどが寓話を書き、その後、イソップが、道徳的、風刺的主題をもつ寓話を確立したとされています。

しかし、実際にイソップがつくったと証明できる話はひとつもないといわれています。それでも『イソップ寓話』は、その後、さまざまな解釈が加えられ、現代に、世界中に伝わっています。

○「農夫と息子たち」

死期の迫った１人の農夫が、息子たちを一人前の農夫にしたいと思い、枕元によんで「息子たちや、うちのぶどう畑のどこかに宝物がかくしてある」といった。息子たちはぶどう畑を掘りかえしたが、金銀財宝は見つからなかった。宝物は、何だったのか？

答えは、「その秋、ぶどうはいつもの年の何倍もの実をつけた」(苦労こそ宝)。

○「旅人と真実の女神」

旅人が、荒野で女神と出会った。旅人が「あなたはどなたですか」とたずねると、「私は真実です」と答えた。なぜ真実の女神は、荒野にいたのか？

答えは、「町の人はうそばかりつくので、町に居場所がなくなったから」。

○「快と苦」

あるとき快と苦がけんかをした。神さまが仲直りさせようとしたが、いつまでたっても仲直りしない。神さまがおこってしたことは、何？

答えは、「快と苦の頭をひとつに結びつけた。人間のところに快がくるときには苦がいつもいっしょにやってくるようにした」。

○「月と母親」

あるとき月が母親に、体にぴったりと合う服をつくってくれとたのんだ。母親は何と答えたか？

答えは、「おまえは、今は満月だが、やがて三日月になり、そしてまた太る。体に合う服なぞつくれないよ」(欲望や運不運で人間にぴったり合う財産の量は変わるので、おろかでつまらない人間にぴったりの財産の量はない)。

○「祭日と後の祭り」

後の祭りが祭日といいあらそって、「祭日は仕事が多くて疲れるが、後の祭りにはごちそうをみんなで食べてゆっくりできる」といった。しかし、祭日のいった一言でしょげかえった。祭日は何といったのか？

答えは、「祭日がなければ後の祭りはこない」。

Q13「なぞかけ姫物語」って、何？

A　結婚を申しこんでくる男に対して、なぞかけをする王女の物語のこと。『千夜一夜物語』には、「九十九の晒首の下での問答」というなぞかけ話がおさめられています。

『千夜一夜物語』のなぞかけ話

『千夜一夜物語』は、もともとペルシャ語で書かれた物語が8世紀にアラビア語に訳され、その後、世界に広がったとされる物語です。そのなかのひとつに「九十九の晒首の下での問答」があります。この話は、「なぞかけ姫物語」や「謎王女物語」などとよばれています。その話は次のとおりです。

ある国の王女は、求婚してくる男になぞかけ話を出して、それに答えられなかったら首を切っていました。そこへ、ある王子が100人目の挑戦者となります。王子は、逆に自分が王女になぞかけ話をして、王女が正しく答えたら自分は首を切られてもいいと提案し、右上のなぞなぞを出します。王女は、これに答えられず、結局、王子と結婚しました。

○私は馬にまたがっていながら、父にまたがっている。また、こうして皆の目にさらされながら、母の衣類にかくされている。これはどういうことか。

この答えは「馬は父を売って得て、衣類は母を売って得たから」です。

これは、25ページに出てきた『グリム童話』の話に似ています。「なぞかけ話」「結婚」がキーワードになっている話は、世界中にあるということです。18世紀には、フランスで『千夜一夜物語』を意識したと思われる『千一日物語』が出版されました。このなかには、「カラフ王子と中国の王女の物語」というなぞかけ姫物語があります。これをもとに、19世紀のイタリアの作曲家ジャコモ・プッチーニが、オペラ『トゥーランドット』をつくりました。

豆知識　**2つのタイプの「なぞかけ姫物語」**

「なぞかけ姫物語」には、2つのタイプがある。

ひとつは、王女がなぞかけをして、男が王女のなぞを解けなかったら、その男を殺し、解いた者と結婚するという話。

もうひとつは、王女がなぞを解いたら、なぞかけをした男は殺され、王女がそのなぞを解けなかったら結婚するというもの。「九十九の晒首の下での問答」には前者と後者両方の要素がふくまれ、『グリム童話』のなかの「なぞなぞ」は後者となる。

世界共通のなぞなぞって、あるの？

「はじめに」に記したスフィンクスのなぞなぞは、世界共通のなぞなぞといってよいものです。また、17ページで見たなぞかけ話、River Crossing（川渡り）も、世界中で楽しまれています。

中東の国ぐにの「川渡り」

○川岸に男が立っている。彼はボートで荷物を向こう岸に渡す方法を考えている。彼の荷物はキツネとオンドリと小麦。キツネとオンドリをいっしょにしておくと、キツネがオンドリを食べてしまう。オンドリと小麦をいっしょにしておくと、オンドリが小麦を食べてしまう。ボートで運ぶことができるのは人間を入れて一度に２つまで。どの荷物も失わずに向こう岸に渡す方法は？

（答え→p17）

これは、登場するものこそ異なっていますが、17ページに記した、なぞかけ話とまったく同じ原理の話です。

このなぞかけ話の起源は、８～９世紀の西ローマ帝国のカール大帝の時代にまでさかのぼるとされています。

無類のなぞなぞ好きだったカール大帝が、なぞなぞ創作者の学僧アルクィンにつくらせたといわれているものです。

アルクィンがつくったなぞかけ話はさまざまですが、その代表作が上記の「川渡り」。これは、西ローマ帝国の広がりとともにヨーロッパじゅうに、そして世界へと伝わり、現在では世界の国ぐにで語りつがれるようになりました。

それにしても、ひとつのなぞなぞが時空をこえて世界各国で楽しまれているとは、なんとも壮大な話ではないでしょうか。しかも、このなぞかけ話は、数学の「組み合わせ論」の基礎となったといわれているのです。つまり、どのように分類し、組み合わせるかを考えるときの基礎が、このなぞかけ話にあるのです。

フランク王国（西ヨーロッパにあった王国）の国王だったカール大帝（742年-814年）は積極的に遠征をおこなって領土を広げ、王国の最盛期を築いた。800年にローマ教皇より戴冠されて西ローマ帝国の皇帝となった。

パート2

世界のなぞなぞ ベストセレクション

1 中国の文化が感じられるなぞなぞ

この本では、何度も中国のなぞなぞにふれてきましたが、ここでは中国らしい、中国の文化がよく出ているなぞなぞを見てみます。

問題①

中国では、福の字を逆さにしてかざる。
それは、なぜ？

問題②

入口はあっても出口がなかなか見つからないところは、どこ？

問題③

白黒のパンダには夢がある。
それは、何？

答え

問題①：「福が来る」という縁起かつぎのため

これは、なぞなぞというよりクイズといえるだろう。中国語では「逆さま」という意味の「倒」と、「来る」という意味の「到」が、同じ読み方（発音）をする。そのため、「福」を「逆さま」にすることが「福が来る」ことに通じると考えられ、上下を逆さにした「福」の字を家の戸口や壁にかざる習慣がある。旧暦の正月（春節）には、「新しい年に福がやってくるように」という願いをこめてかざられる。

問題②：砂漠

とても広い砂漠で迷ってしまったら、出るのが大変だ。そこから、「出口がなかなか見つからない」というなぞなぞが出てくる。中国には、新疆ウイグル自治区にタクラマカン砂漠がある。その面積は32万km²以上（日本の面積は約38万km²）あり、世界で２番目に広い砂漠である。しかも、近年、まわりが砂漠化してどんどん広がっている。

問題③：カラーで写真にうつること

パンダの体の色は白と黒。カラーで写真にうつることはできない。中国では、パンダはおめでたい動物とされている。中国のごくかぎられた地域に生息しているが、最近は、環境破壊などによって数が減ってきた。野生のパンダの数は1600頭ほどと予測されている。

「物謎」とは？

中国語でなぞなぞは「謎語」といい、答えが漢字になるものを「字謎」ということは、前に何度かふれましたが、中国語では答えが「物の名前」などになるなぞなぞは、「物謎（ウーミィ）」とよばれています。

有时落在山腰（ときには山腹に落ち）
有时挂有树梢（ときには梢にかかり）
有时像个圆盘（ときに丸い盆のようになり）
有时像把镰刀（ときに鎌によく似るもの。それは、何？）

この答えは「月亮（中国語で天体としての月）」です。言葉を選んで韻がふまれたすばらしい作品として、後世に伝えられています。日本にも伝わりました。

次は比較的新しい時代のなぞなぞです。

高山不见一寸土（高山には土は見えない）
平地不见半亩田（平地には田畑は見えない）
江河湖海没有水（河、湖、海には水がない）
世界各国在眼前（世界の国ぐにが目の前にある。それは、何？）

答え：地図

豆知識　日本人にとって中国語の簡体字はクイズ！

上の２つの物謎は「簡体字」という中国の漢字で書かれているが、漢字をつかう日本人にとって、簡体字というもの自体がクイズのようだ。

中国では1956年に「漢字革命」がおこなわれ、それまでの画数が多かった漢字（繁体字）がどんどん簡体字化された。

日本でも、かつての旧字体は新字体になったが、中国では、日本より大きな変更がおこなわれた。たとえば「習」は、漢字の一部だけを書く。簡体字化は、大きく分けて次に示す６つの方法でおこなわれた。

①もとの漢字の一部を残す。
習 → 习
録 → 录

②もとの漢字の特徴や輪郭を残す。
飛 → 飞
奪 → 夺

③書道の草書体を利用する。
長 → 长
書 → 书

④複雑な偏や旁を、単純な符号に変える。
師 → 师
雞 → 鸡

⑤同じ音の漢字を当てる（当て字）。
醜 → 丑
穀 → 谷

⑥会意文字の原則*を利用する。
體 → 体
葉 → 叶

*漢字を結合し、それらの意味をあわせて書きあらわす方法。「人」と「言」をあわせて「信」とするような漢字づくりの方法。

『世界の文字と言葉入門② 中国の漢字と中国語』（小峰書店）稲葉茂勝著より

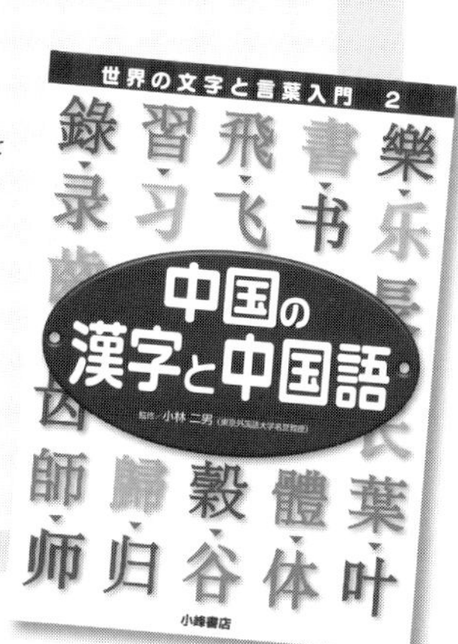

2 文化のちがいがはっきりする韓国のなぞなぞ

韓国では、柄の長いスプーンと、金属のはしをつかって料理を食べます。日本とはちがって食器は手でもたず、テーブルに置いたまま食べるのがマナーです。こうした文化のちがいがなぞなぞにも表れています。

問題①

穴に入っていくときは、いっぱいもっていき、出てくるときは何ももたない。この、もちはこぶための道具は、何？

問題②

赤いふくろには金貨が、黄緑のふくろには銀貨がいっぱい。これは、何？

問題③

仕事をするとき、いつも背比べするものは、何？

答え

問題①：スプーン

韓国では、柄の長いスプーンと金属のはしをつかって料理を食べる。日本とはちがって食器は手でもたず、テーブルに置いたまま食べるのがマナーだ。汁物などはスプーンで食べる。ごはんを食べるときもスプーンをつかい、はしをつかうのは汁気の少ないおかずを食べるときにかぎられる。

問題②：トウガラシ

韓国には、キムチなど、トウガラシを用いたからい料理がたくさんある。たいていのトウガラシは、はじめは緑色で、熟すにつれ赤くなっていく。なかの種も白（銀）色から黄（金）色へと変わっていく。

問題③：はし（チョッカラ）

これは、はしがたくさんあるとき、長さをそろえてからつかうから。韓国では個人専用のはしをもたず同じ長さのはしを家族で共有するため、よくやることだ。日本の家庭では、人によって、はしの長さが異なる。ところ変われば、食事のマナーもはしのつかい方も異なるということだろう。ところで、韓国で金属製のはしがつかわれているのはなぜか。これにはいろいろな説があるが、次の説が有力だといわれている。昔、宮廷では権力争いによる毒殺が横行した。銀は毒に反応して変色するため、上流階級は銀の食器をつかうようになった。しだいに庶民にも広まったが、銀は高価なので、よく似たステンレスや真鍮などの金属製の食器が一般化した。

3 その国の人でなければわからないなぞなぞ

ここに紹介する各国のなぞなぞは、それぞれの国ではポピュラーなものですが、日本人にはとうていわかりません。各国の文化に根ざした、ディープななぞなぞを見てみましょう。

問題①

赤の他人の三人組。出会うと血になる。
その三人組とは？
（フィリピン）

問題②

足はあっても歩けなくて、翼があっても飛ぶことはできない。口もあるけど話せないものは、何？
（カンボジア）

問題③

１日に５回聞こえる。聞いているのに来ない人は罪深い。これは、何？
（パキスタン）

答え

問題①：ビンロウの実、キンマの葉、石灰

答えは、フィリピン人か、よほどのフィリピン通でないとわからない。フィリピンの郊外などでは、道端やそこかしこで血痕のようなものが見られる。フィリピンでは、ビンロウの実、キンマの葉、石灰を口に入れて、ガムのように噛みあわせる習慣があるのだ。噛みつづけると、口のなかで化学反応が起きて、真っ赤に変色する。道端の血痕のようなものの正体は、吐きだされた真っ赤な唾液というわけだ。この習慣は古くから結婚式などの儀礼にも用いられ、民話の題材となったりするなど、フィリピンの伝統文化とされてきた。しかし、近年、吐きだす唾液が血痕を連想させ、道端に吐きだすのは見苦しいし、非衛生的だという理由から禁止されるようになった。

問題②：高床式の家

カンボジアの伝統的な家は、床を地面から高くもちあげてつくられている高床式。高床式は、風通しがよく、暑い気候の地にあったつくりだ。ヘビやネズミなどが家に入ってくるのをふせぐことができる。最近はコンクリートの建物も増えてきたが、地方には昔ながらの高床式の家がたくさん残っている。

問題③：礼拝の時間をつげる声

中央アジア、中東ほか、イスラム教の国の人ならかんたんに答えられる。イスラム教の教えでは、１日５回サウジアラビアのメッカのほうを向いて礼拝する習慣がある。メッカは、イスラム教を開いたムハンマドが生まれた場所で、ここで神のおつげを受けたことから、イスラム教徒にとっては聖地とされている。昔は、モスク（イスラム教の礼拝堂）に付随するミナレットという塔の上から人が大きな声でよびかけ、礼拝の時間を知らせていた。現在ではスピーカーをつかっている。このよびかけのことを「アザーン」という。

4 アジア・中東のおもしろなぞなぞ

ところ変(か)われば、なぞなぞも変わります。今度は、よく考えると、きっと答えられるアジア・中東各国(かっこく)のなぞなぞを紹介(しょうかい)します。なぞなぞを通して、それぞれの国の文化にふれてみましょう。

■モンゴル

問題① 火では燃(も)えないし、水には沈(しず)まないものって、何？

■ベトナム

問題② 口からは遠くても鼻(はな)からは近いものは、何？

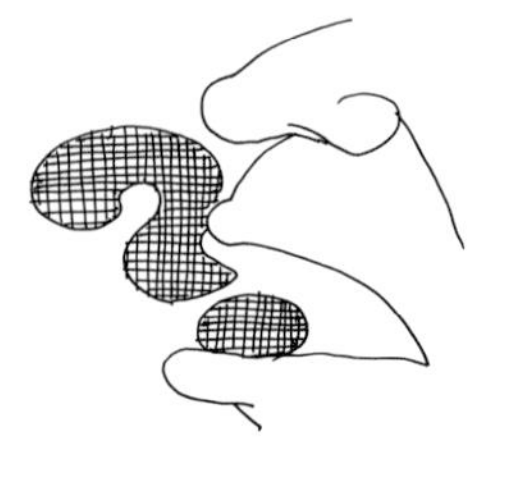

■マレーシア

問題③ 森のなかで、しましまの服を着たおやじさん。りっぱなひげをはやしていて、いつも寝(ね)そべっている。これは、何？

問題④ ひもを巻(ま)きつけているときは死んでいる。放(はな)つと生きるけれど、放(ほう)っておくとだんだん弱っていってコロンと死んでしまう。これは、何？

■タイ

問題⑤ どんなにふりまいても減(へ)らないものは、何？

■カンボジア

問題⑥ 男の人はいるが、女の人はいない。でも、子どもを育てている。ここはどこ？

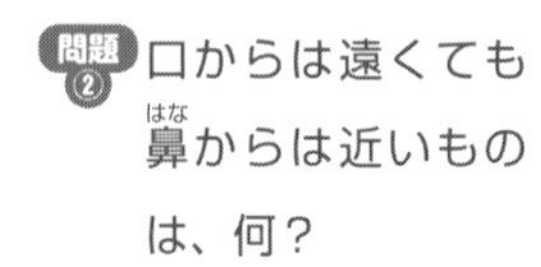

■ラオス

問題⑦ 2車線の道路を車が走っている。1車線には人が、もう1車線にはイヌが寝転がっている。運転手がふむのは、何？

■ミャンマー

問題⑧ 部屋はあるのに戸がないものは、何？

■チベット

問題⑨ 洞窟にならんでいる白いお寺って、何？

答え

■モンゴル

問題①：氷

モンゴルは、年間の気温の差が激しい国で、夏の最高気温が40度ほどになる一方、冬には雪がふり、マイナス30度ほどになることもある。寒さのきびしい真冬には、表面が氷でおおわれる川や湖もある。というわけで、火では燃えないで、水に浮かぶ「氷」が、答えになるなぞなぞだが、どこの国にもありそうだ。

■ベトナム

問題②：隣の人の料理

ベトナムでは大皿に盛られた料理を、みんなで分けあって食べる。自分の分だけでなく、ほかの人の分をとってあげたり、スープをよそってあげたりする。そのときに、においをかぐことはできるが、食べられない。ということで、この答えになる。

■マレーシア

問題③：トラ

熱帯雨林が広がるマレー半島には、マレートラが生息している。しかし、木材の生産や農場開発により、森林の伐採が進んでいる。その結果、マレートラも300～500頭にまで生息数が減っているといわれている。

問題④：コマ

マレーシアでは、コマは「ガシン」とよばれている。ガシンは、色や形がさまざまで、なかには1kgにもなる大型のものもある。子どもばかりでなく、大人にも人気があり、どのくらい長くまわすことができるかをきそう大会が、各地で開かれている。

■タイ

問題⑤：笑顔

タイの観光ガイドブックなどには、「笑顔（ほほえみ）の国」と書かれることがよくある。タイでは、相手に敬意を表すときに、ほほえみながら両手をあわせておじぎをする「ワイ」というあいさつをする。

■カンボジア

問題⑥：お寺

カンボジアをはじめ、東南アジアの国ぐにには、仏教を信じる人がたくさんいる。これらの国では、子どもも、家族と離れ、一定期間、おぼうさんとして修行する習慣がある。また、おぼうさんは、世間との関係をたち、男性だけで集団生活をする。女性にふれてはいけないという、きびしい決まりもある。

■ラオス

問題⑦：ブレーキ

人もイヌもふむわけにはいかない運転手は、ブレーキをふむというわけだ。ラオスではイヌは放し飼いがふつう。街では多くの犬が見られる。

■ミャンマー

問題⑧：竹

竹林が広がるミャンマーらしいなぞなぞ。ミャンマーの人たちは昔から、いろいろなものに竹を利用してきた。コップやかごなどの小物はもちろん、いかだや家まで竹でつくられる。

■チベット

問題⑨：歯

チベット仏教の熱心な信者ばかりのチベットならではのなぞなぞ。ヒマラヤ山脈やクンルン山脈などけわしい山岳地域では、斜面の洞窟につくられた白い寺をよく見かける。このなぞなぞは、口のなかを洞窟に、歯をお寺にたとえている。

■インド・・・・・・・・・・・・・・・・・・・・・・・・・・

問題⑩ ウズラの前に2羽のウズラ。

ウズラの後ろにも2羽のウズラ。

ウズラの前にもウズラ。

ウズラの後ろにもウズラ。

ウズラは、もっとも少なくて全部で何羽いる？

■アフガニスタン・・・・・・・・・・・・・・・・・・・

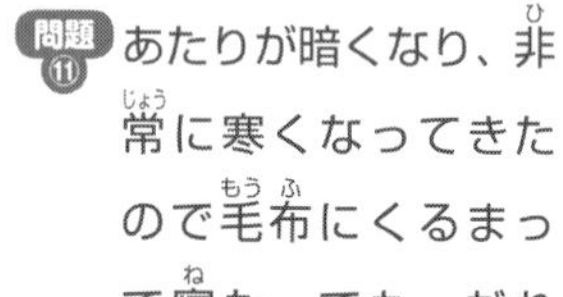

問題⑪ あたりが暗くなり、非常に寒くなってきたので毛布にくるまって寝た。でも、だれもその上で寝ることができない。何の上？

■パキスタン・・・・・・・・・・・・・・・・・・・・・・

問題⑫ 日に当たるとからだにいっぱい現れて、風に当たるとなくなるものは、何？

■スリランカ・・・・・・・・・・・・・・・・・・・・・・

問題⑬ おいしい水が入っている、小さくて丸い井戸って、何？

■トルコ・・・・・・・・・・・・・・・・・・・・・・・・・・

問題⑭ 胴体だけで中身がない。悪いことをしていないのに、いつもたたかれる。これは、何？

問題⑮ 一年でもっとも交通事故が多いのは、いつ？

■サウジアラビア・・・・・・・・・・・・・・・・・・・

問題⑯ 乗るものなのに、乗った人が歩いて、乗った人が運ぶ。これは、何？

問題⑰ 1kgの石油と1kgの綿。重いのはどっち？

■イスラエル・・・・・・・・・・・・・・・・・・・・・・

問題⑱ 自分のものなのに、自分よりもほかの人のほうがよくつかうものは、何？

答え

■インド

問題⑩：3羽

数学大国インドの、数字なぞなぞだ。「ウズラの前に2羽のウズラ」は、一番後ろのウズラの前に2羽。「ウズラの後ろにも2羽のウズラ」は、一番前のウズラの後ろに2羽。「ウズラの前にもウズラ」と「ウズラの後ろにもウズラ」は、まんなかのウズラの前後に1羽ずついると考えると、もっとも少なくて全部で3羽が答えになる。

■アフガニスタン

問題⑪：氷

アフガニスタンは国全体がとても高い場所にある（首都カブールは標高1800m）。標高3000～4000mの地域も多く、夜になるとかなり冷えこむ。また、季節ごとの寒暖の差も激しく、夏は平均気温が30度以上にもなるが、冬は氷点下10度まで下がる。34ページのモンゴルのなぞなぞと同じで、どこの国にもありそうだ。

■パキスタン

問題⑫：汗

パキスタンは、春から夏にかけてきびしい暑さとなる。とくに南部では4～6月は50度をこえることもあり、7～8月はモンスーンで、湿度も高くなる。国民のほとんどがイスラム教の教えにしたがって、あまり肌を出さない服装をしている。男性は、丈の長いブラウスの「カミーズ」とズボンにあたる「サルワール」、女性はこれらに加え「ドゥパタ」というスカーフをするのがふつうだ。

■スリランカ

問題⑬：ココナッツ

スリランカは、インド洋に浮かぶ島国。海岸部は一年中日本の夏のような気候で、ココヤシがよく育つ。スリランカの人びとは暑さでのどがかわくと、ココヤシの実（ココナッツ）の上のほうを切って、なかのココナッツジュースを飲む。ココヤシの葉は、皿や屋根につかわれる。葉や実の繊維は、ほうきやロープの材料としてもつかわれる。ココヤシは、スリランカの人びとにとって生活に欠かせない、大切な木だ。

■トルコ

問題⑭：太鼓

トルコには「ダラブッカ」とよばれる小型の太鼓がある。胴体が金属や陶器でできている。なかは空洞だ。民族音楽やベリーダンス（トルコの伝統的なダンス）の伴奏につかわれている。なお、これと同じような太鼓は中央アジアや中東で多く見られる。

問題⑮：ラマダン中の夕方

これは、クイズ！　なぞなぞとはいえない。トルコをはじめ、イスラム教国では、「ラマダン」とよばれる断食をおこなう月がある。その月には日の出から日の入りまで飲食を禁じて、欲求を我慢することで、めぐまれない人たちの気持ちを理解できると信じられている。ところが、ラマダン中の食料消費量はふだんの月をはるかに上回っている。じつは、日中食べられない分、日没と同時にはじまる「イタフル」とよばれる食事の際、料理から甘いデザートまで、毎日が祭りのようだからだ。さらに、ラマダンのあとにおこなわれる「バイラム」という祭りでは、親族、隣近所の人たちにも料理をふるまい、ラマダンが明けたことをみんなで祝う。このクイズは、こうしたイスラム教の文化を背景にしたもの。もう少しでイタフルの時刻、すなわち、日没直前は、だれもが空腹のピークにある。町を走る車の運転も荒くなり、交通事故が多くなるというわけだ。

■サウジアラビア

問題⑯：くつ

サウジアラビアでは、とくに暑い夏の時期には男性の多くが「マダース」とよばれる伝統的な革製のサンダルをよくはいている。町なかでもサンダルばきの男性がたくさんいる。

問題⑰：同じ

これは、石と綿などをくらべるものとして、日本をはじめ世界中にあるなぞなぞだ。産油国のサウジアラビアでは、石のかわりに石油になってもふしぎではない。

■イスラエル

問題⑱：名前

自分の名前は、自分自身でつかうよりも、ほかの人からよばれることが多いものだ。イスラエルで多い名前といえば、ユダヤ教の聖典である旧約聖書の登場人物からとられた名前が人気のようだ。人が集まるところでは、同じ名前の人が何人もいることがよくあるという。

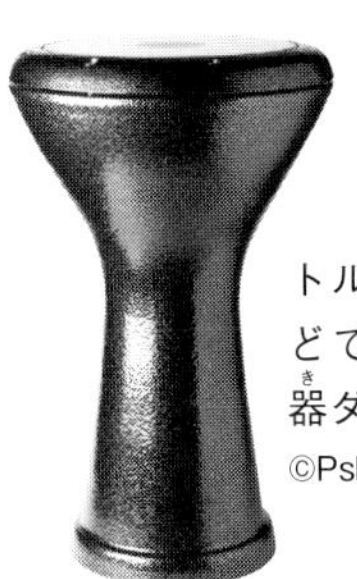

トルコやエジプトなどでつかわれる打楽器ダラブッカ。
©Pshenichka-Fotolia.com

サウジアラビアのマダースのお店。
©Nazeeh Shaheen-Dreamstime.com

ココヤシとココナッツ。

5 ヨーロッパのなぞなぞ

イギリスなど英語圏では、なぞなぞは riddle ですが、スペインやイタリアなど、英語と同じようなアルファベットをつかう国ぐににも、riddle と同じような単語があります。

■イギリス

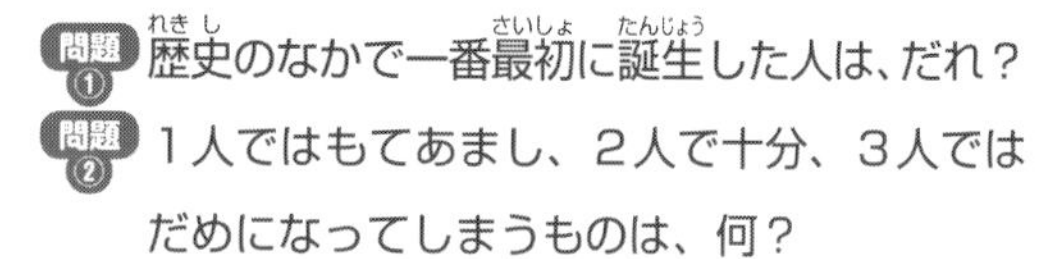

問題① 歴史のなかで一番最初に誕生した人は、だれ？

問題② 1人ではもてあまし、2人で十分、3人ではだめになってしまうものは、何？

■ノルウェー

問題③ 昼も夜もおかまいなしで、休みなく働きつづけるけれど、することがなくなると、やかましくグーグーとほえたてるものは、何？

■スウェーデン

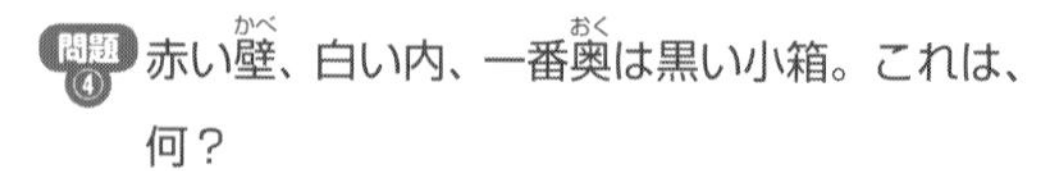

問題④ 赤い壁、白い内、一番奥は黒い小箱。これは、何？

■フィンランド

問題⑤ 炎もけむりも立てずに燃えるものは、何？

■ドイツ

問題⑥ そばにいるとご主人さまのお役に立てない。追いだしてくれれば、すぐに役に立てるんだけれどなあ。ぼくは、何だろう？

問題⑦ つくった人はつかわない。買った人には用がなくて、もらった人はわからない。これは、何？

問題⑧ いつもすぐそばにあるのに、たどりつけないところ。たとえいけたとしても、そのときにはもうべつの名前になっている。これって、何？

■オーストリア

問題⑨ 白旗をもった大軍が、出あいがしらにおそいかかる。逃げないやつは下じきになる。これは、何？

■フランス

問題⑩ 昼も夜も歌いながら走りつづけても、くたびれることのないものって、何？

問題⑪ おしゃべり好きのご婦人方が、もっともおしゃべりをしない月は、何月？

■イタリア

問題⑫ いつも白い歯を見せてわらっている。みんながぼくをいじめるけれど、ぼくはいつでも歌っている。ぼくは、何？

■スペイン

問題⑬ とても小さいのに、ライオンよりもしっかり家を守るものは、何？

■ポルトガル

問題⑭ テーブルの上で切って、みんなに分けるのに、食べられないものは、何？

問題⑮ 高いところに住んでいて、みんなにおつげをするけれど、神さまではない。これは、何？

■ルーマニア

問題⑯ 水が流れてくるとぶどう酒を飲み、水が流れてこないと水を飲む人は、だれ？

答え

■イギリス

問題①：アダム

キリスト教の教えでは、アダムが人類の最初の人とされている。神はまず男性であるアダムをつくり、次にアダムのろっ骨から女性であるイブをつくったといわれている。イギリスは世界中から移民が集まる多民族国家だが、人口の約71％がキリスト教徒だ。

問題②：秘密

秘密というものは、１人では成立しない。関わる人が増えれば増えるほど、秘密が漏れる可能性は高くなるのはいうまでもない。いかにもイギリスらしい、なるほどとうなずけるなぞなぞではないだろうか。

■ノルウェー

問題③：おなか

ノルウェーでは、人びとは朝食、昼食、夕食、軽夜食と１日に４回の食事をとるといわれている。夕食を４～５時ごろに食べ、８～９時ごろに軽夜食を食べる。ノルウェーなど、緯度が高く北極圏にふくまれる地域では、「白夜」や「極夜」とよばれる現象が起こる。白夜とは「明るい夜」という意味で、夏、太陽が地平線の下に沈まず、夜でもうっすらと明るい状態が続く現象だ。極夜はその逆で、午前10時ごろに明るくなり、午後２時ごろには暗くなってしまう。気がつかないうちに食事の時間が近づいていて、おなかがグーグーなりだすことがあるのかもしれない。

■スウェーデン

問題④：リンゴ

このなぞなぞからは、スウェーデンの伝統的な赤い壁の木造の家が連想される。ダーラナ地方のファールンという町では９世紀に銅の採掘がはじまり、17世紀には世界最大の産出量をほこった。家にぬられる赤い塗料は、銅を採掘するときの副産物を利用したものだ。

■フィンランド

問題⑤：愛

フィンランドは夫婦共働きの家庭が多く、女性の80％以上がフルタイムで働いている。家事や育児も男女が平等に参加するのが当然。また、子どもよりも夫婦の絆が優先されるという。一方で、離婚率は50％！　絆の強さが仇となり、愛情が冷めたらすぐに離婚することが多いようだ。

■ドイツ

問題⑥：お金

お金をたくさんもっていても、物を買ったりサービスを受けたりしなければ役立てることはできない。EU（欧州連合）加盟国の多くでは、「ユーロ」という共通の通貨が国境をこえてつかわれている。共通の通貨をつかうことで経済交流を活発にし、いっそうの発展をめざしている。

問題⑦：棺桶

ドイツでは国民のほとんどがキリスト教徒だ。キリスト教を開いたイエスが土葬されたことから、かつてキリスト教では死者を棺桶に入れて土葬するのがふつうだった。現在は、ドイツをはじめ、キリスト教徒の多い国でも火葬をおこなう国が多いが、今でも土葬の風習は残っている。

問題⑧：明日

明日はすぐ近くにあるのに、たどりつくと今日になってしまう。ドイツ語で明日は Morgen といい、朝という意味もある。おはようは、ドイツ語で Guten Morgen といい、英語のGood Morningと同じく「よい朝」をという意味がある。

■オーストリア

問題⑨：雪

オーストリアはアルプス山脈のとなりにある、寒さのきびしい国。標高2500m以上の高地には、万年雪がある。

■フランス

問題⑩：川

フランスには多くの川が流れているが、もっとも有名な川といえばセーヌ川だろう。セーヌ川の中州にあるシテ島は、首都パリの発祥の地といわれている。

問題⑪：２月

12か月のなかで一番日数が少ない月（28日）、つまり２月が答えとなる。

■イタリア

問題⑫：ピアノ

「白い歯」というのは、鍵盤のこと。ピアノは1709年、イタリア人のバルトロメオ・クリストフォリが発明したといわれている。

■スペイン

問題⑬：鍵

スペインではどろぼうから家を守ろうと思ったら、ライオンに見張らせるよりも鍵をかけろといわれている。

■ポルトガル

問題⑭：トランプ

日本で「トランプ」とよばれるカード遊びの起源は、いまだにわかっていない。でも、14世紀ごろにヨーロッパを中心に人気が高まり、日本には、16世紀にポルトガルの船員から伝えられたといわれている。ポルトガル語ではカードのことを Carta ということから、当初「カルタあそび」という名前で広まった。

問題⑮：教会の鐘

ポルトガルでは、教会の鐘は人びとの生活に密着している。時間をつげるほか、人が亡くなったり、結婚したりというときにもならされる。畑仕事などをしていると、教会の鐘の音で時間を知ることができて便利だといわれている。

■ルーマニア

問題⑯：水車小屋の主人

水車小屋の仕事は、水の流れを利用して水車を回し、その動力で小麦を挽いたり織物をつくったりすること。水が流れてこなければ仕事ができず、主人はぶどう酒（ワイン）を飲むゆとりもなく水を飲む生活を送るはめになってしまう。なお、ルーマニアはヨーロッパ有数のワイン生産国で、紀元前から製造がおこなわれていたという。

6 旧ソ連のなぞなぞ

旧ソ連は1991年、経済のゆきづまりなどにより崩壊し、ロシアやベラルーシなど多くの国に分裂しました。ここでは、旧ソ連を構成していた国ぐにのなぞなぞを見てみましょう。

■ロシア他

問題① 家のなかにあるのに目には見えない。これは、何？

問題② 火から生まれて、火でほろびるものは、何？

問題③ 働くともらえるけれど、お店ではつかえないお金は、何？

問題④ 宇宙にいけるソ連の宇宙飛行士でもいけないところって、どこ？

問題⑤ 昼と夜に2回だけ正しい時間をさす時計は、どんな時計？

問題⑥ 赤い長ぐつが地中で燃えている。これは、何？

問題⑦ 裁判官がいない法廷なのに、むち打ちの刑を宣告する。ここは、どこ？

問題⑧ 真珠が草原いっぱいにあるけれど、ひとつも拾いに近づけない。真珠とは、何？

問題⑨ 斧もつかわず、くさび*もつかわず、川に橋をかけたのは、だれ？

＊かたい木材や金属でつくられた、V字型または三角形の道具。物を割ったり、おしあげたりするほか、物と物が離れないように、両方にまたがらせて打ちこんだりする。

答え

■ロシア他

問題①：ぬくもり

ロシアでは真冬の最低気温がマイナス30度以下になることもある。ロシアにあるサハ共和国のオイミャコンではマイナス68度と、人が住んでいる地域での最低気温の記録が『ギネス世界記録』に認定されている。ぬらしたタオルなどのやわらかいものも外に出すと一瞬で凍ってしまう。しかし、ロシアでは暖房設備が発達していて家のなかはあたたかく、ぬくもりがいっぱいだ。

問題②：炭

炭は、木を蒸し焼きにしてつくる。寒いロシアには「サモワール」という伝統的なポットがある。湯をわかし、保温もできるポットで、現在は電気式のものが増えているが、以前は炭を燃料にしていた。

問題③：ルーブル

「ルーブル」は旧ソ連でつかわれていた通貨。しかし、旧ソ連が崩壊する前には、経済政策がゆきづまり、ルーブルの価値が急落。紙切れ同然になってしまった。このなぞなぞは、こうした背景から生まれたものだ。

問題④：アメリカ

このなぞなぞの答えとされるアメリカは、東西冷戦時代、宇宙にいける宇宙飛行士でさえいけなかったところ。特別でないかぎり、ソ連の人びとは、アメリカにかぎらず西側諸国にはいけなかった。

問題⑤：止まっている時計

こわれて針が止まっている時計は、昼と夜に1回ずつしか正しい時間をささない。たとえば「8時」で止まっている時計は、朝の8時と夜の8時が来たときだけ、正しい時間をさすことになる。

問題⑥：テーブルビート

テーブルビートは、カブに似た形の、赤くて甘みのある根菜だ。ロシアでは「スビョークラ」とよばれる。ロシアの人気料理ボルシチの主要材料で、ボルシチの赤い色はテーブルビートの色素による。ボルシチはロシアをはじめ東欧の国ぐにで食べられているが、もともとはウクライナの伝統料理。ウクライナにも、テーブルビートを題材にした、「体はまん丸、前髪は緑。これは、何？」というなぞなぞがある。

問題⑦：サウナ

これはラトビアのなぞなぞ。ラトビアやロシアなどでは、サウナでシラカバやカシの葉つきの小枝で体をたたく伝統的なマッサージがある。

問題⑧：露

これはエストニアのなぞなぞ。露を草原の美しい玉にたとえるのは、なぞなぞではないが日本の和歌にも見られる。百人一首にある、「白露に　風の吹きしく　秋の野は　つらぬきとめぬ　玉ぞ散りける（草の上に乗る露の玉に、風がしきりに吹きつける秋の野原は、まるでひもに通してとめていない玉が散りみだれるようだった）」（文屋朝康）という歌だ。この「玉」については、真珠とする説、水晶とする説の両方がある。

問題⑨：凍寒（凍りつくような寒さ）、氷

これはベラルーシのなぞなぞ。このなぞなぞは、冬に川が凍りつき、橋がなくても渡れるようになるようすを表している。

7 英語なぞなぞ(riddle)の宝庫アメリカ

「アルファベット(alphabet)」の文字は、全部で何文字？　これが、quizなら「26文字」でしょうが、riddleなら、答えは「8文字」です。

■アメリカ

問題① 人がみんなもっているのに、アダムとイブだけもっていないものは、何？

問題② 時間を一番よく知っている犬は、どんな犬？

問題③ 1人の男がある店に入って、店員にいった。「賭けをしよう。もしおれがこの紙に、きみの正確な体重を書くことができたら、きみはおれに50ドルを払え。できなかったらおれがきみに50ドルを払う。やるか？」店員は、どこにもはかりがないから、どう書いたって、サバを読めばいいと考え、賭けに乗った。結果、店員は男に50ドルを払うハメになった。いったいなぜか？

問題④ 医者とバスの運転手が同じ女に恋をした。サラという名の魅力的な女だ。あるとき、バスの運転手は1週間の旅に出なければならなくなった。彼は、出発前にサラに7個のリンゴを渡した。なぜか？

問題⑤ どうしてニワトリは道を横切ったか？

■カナダ

問題⑥ 生きているやつらの上を歩いても、文句ひとついわないけれど、死んでいるやつらの上を歩くと、ぶつくさ(カサカサ)文句をいう。これは、何？

答え

■アメリカ

問題①：両親

アダムとイブが人類のはじまりならば(→p39)、この2人より先に人類はいないことになるので、答えは「両親」。アメリカは、イギリスの植民地をへて1776年に独立した。アメリカで国教は定められていないが、現在でも大統領就任式で新大統領が聖書に手を置いて宣誓をする習慣があるなど、キリスト教が重要な国の行事に登場している。

問題②：番犬(watchdog)

英語では番犬のことを「watchdog」という。「watch」には「見張る」という意味のほか、「時計」という意味もある。したがって、答えは番犬＝watchdogとなる。

問題③：きみの正確な体重(your exact weight)と紙に書いた

このなぞなぞから、思い出される日本の古典落語がある。深夜、小腹がすいた男が通りすがりのそば屋をよびとめる。そばを食べおわった男は、16文の料金を支払う。ここで、そば屋に「あいにく小銭しかもっていない。落としちゃいけないから、手を出してくれ」といって、主人の手のひらに1文銭を1枚1枚数えながら、テンポよく乗せていく。「一(ひい)、二(ふう)、三(みい)、四(よお)、五(いつ)、六(むう)、七(なな)、八(やあ)」といったところで、「今何時(なんどき)でい？」と時刻をたずねる。そば屋が「へい、九(このつ)でい」というと、すかさず「十(とお)、十一、十二、十三、十四、十五、十六、ごちそうさま」と続けて16文を数えあげ、すぐさま店を去る。つまり、代金の1文をごまかしたのだ。お金をだましとる点で、これら2つの話は共通している。

問題④：1日にリンゴ1個で医者いらず

アメリカには、An apple a day keeps the doctor away.（1日にリンゴ1個で医者いらず）ということわざがある。ビタミンなどの豊富なリンゴを毎日1個食べていれば、健康でいられて医者にかかることもないという意味だ。

問題⑤：反対側へいくため

日本人には理解しづらいが、これはアメリカでは定番中の定番のなぞなぞだといわれている。じつは、「反対側へいくため」というこの答えはあくまで一例で、ほかにもいろいろ答えがあってよい。問いかけに対して、いかに気のきいたジョークで返せるかを楽しむのがアメリカ人だという。「肉屋に追われていたから」「そこに道があったから」、また、chickenには「腰抜け」の意味があることにかけて「『腰抜け』といわれないように」など、いろいろな答えがある。

■カナダ

問題⑥：木の葉

答えは木の葉。死んだ木の葉とは、つまり枯葉のことだ。枯葉はふむとカサカサ音を立てる。カナダは、国土の約45%を森林が占め、森林大国ともいわれる。国旗の中央にもサトウカエデの葉がえがかれている。サトウカエデは、樹液を煮つめるとホットケーキなどにかける甘いメープルシロップができる。

8 中央アメリカのなぞなぞ

ここでは、北アメリカと南アメリカのあいだにある中央アメリカとカリブ海の国ぐにのなぞなぞを見てみましょう。

■メキシコ

問題① 私は雲の上にいて、時計よりも正確な時間を示す。早起きで、夕方のお祈りの時間には眠ってしまう。私は、だれ？

問題② 生まれたときも現在も色白の私。金持ちにも貧乏人にも好まれる。私は、だれ？

問題③ 色あざやかな着物を着て、お日さまと楽しそうに歌う、小鳥の友人。これは、何？

■キューバ

問題④ 笑いと泣きのあいだにあるものは、何？

■ドミニカ共和国

問題⑤ 影もつくらず、ぬれもせずに川を渡る。これは、何？

■ハイチ

問題⑥ おじいさんはここにいるが、子どもたちはあらゆる国を知っている。これは、何？

■プエルトリコ

問題⑦ 話すとやぶられるものは、何？

■グアテマラ

問題⑧ 山では緑、市場では真っ黒、家では真っ赤になって人の役に立つものは、何？

答え

■メキシコ

問題①：太陽

答えは、朝のぼって夕方に沈む太陽。「太陽の国」ともいわれるメキシコは、14〜16世紀にアステカ帝国としてさかえ、太陽神をまつる神殿などがつくられた。

問題②：塩

メキシコのバハ・カリフォルニア半島にあるゲレロネグロという町では、世界最大の塩田で天日塩が盛んにつくられている。天日塩は、塩田にまいた海水を太陽と風の力で蒸発させて、塩の結晶をとるという製法でつくられる。日差しが強く、一定の強さの風が吹き、雨の少ないゲレロネグロは、塩づくりにとても適している。ここでは年間800万トン以上の塩が生産され、日本も輸入している。

問題③：春

春のうきうきとしたようすを表したなぞなぞ。日本では春といえばサクラの花がよく連想されるが、メキシコにも春を代表する花がある。「ハカランダ」という、紫色の花をたくさんつける木だ。3月から4月にかけての春の訪れとともに咲き、満開になるとすぐ散ってしまうところが、サクラと似ている。

■キューバ

問題④：鼻

人は、口を大きくあけて笑う。泣くときには目からなみだがこぼれる。こう考えると、笑いと泣きのあいだ、つまり口と目のちょうどあいだにあるのは鼻だ。

■ドミニカ共和国

問題⑤：声

声には姿がない。影もつくらないで、ぬれもしないで川を渡る（声を届かせる）ことができる。ドミニカ共和国を流れる最大の川は、約300kmあるジャケ・デル・ノルテ川だ。

■ハイチ

問題⑥：コーヒー

おじいさんはコーヒーの木、子どもたちはコーヒー豆をさす。ハイチの主要産業は農業で、コーヒー豆は重要な輸出品だ。ハイチのコーヒーは苦味が少なく、ほのかな甘みとさっぱりした後味が特徴。多くはヨーロッパに輸出されていて、日本では入手のむずかしい、知る人ぞ知る品種となっている。

■プエルトリコ

問題⑦：沈黙

話すとやぶられるものは「沈黙」。日本でも「沈黙をやぶる」という。プエルトリコで話されているのはスペイン語だが、スペイン語にも日本語の「沈黙をやぶる」と似たような表現がある。「やぶる」は「romper（こわす）」という言葉だ。

■グアテマラ

問題⑧：炭

グアテマラは、山地が多い地形で、緑の山やまがたくさんある。山の木は、職人の手によって、真っ黒な炭となり、市場で売られ、家に届き、燃料として真っ赤に燃える。

9 南アメリカのなぞなぞ

ここでは、南アメリカの国ぐにのなぞなぞを見てみましょう。南アメリカでは、ブラジルのポルトガル語以外、スペイン語が話されています。

■ベネズエラ

問題① コロンブスがアメリカ大陸を見つけた。第一歩をふみだして、次にしたことは？

■ブラジル

問題② 犬ではないけれどしっぽがある。空を飛ぶけれど羽はなく、手を離すと落ちてしまう。これは、何？

問題③ サンパウロの州立銀行のビル*より高く飛ぶものは、何？

＊高さ161mの建物。

■ペルー

問題④ くちばしも翼もない鳥*は、何？

＊スペイン語で鳥は「アベ（ave）」という。

■ボリビア

問題⑤ 首都ラパスのレストランで注文しないほうがいい細長い食べ物って、何？

■チリ

問題⑥ 針がいっぱいついた小さな板。手でつかんだら、ささって痛い。これは、何？

問題⑦ 夏になると服をたくさん着こみ、冬になるとぬぎすてて、裸になるものは、何？

■アルゼンチン

問題⑧ ひげがあるけれど人ではない。波が立つけれど川ではない。これは、何？

答え

■ベネズエラ

問題①：もう片方の足をふみだした

片足だけではずっと立っていられない。1492年、クリストファー・コロンブスは、インドへの新航路を探していて、アメリカ大陸近くの島へたどりついた。そのころ、アメリカ大陸は、その存在自体がヨーロッパに知られていなかったため、コロンブスは、その島をインドだと思ったのだ。

■ブラジル

問題②：たこ

たこあげは、ブラジルで人気のある遊びだ。カーニバルの子どもたちの衣装に、たこが取りいれられることもある。「カーニバル」とは、「謝肉祭」ともいわれるキリスト教の行事。

問題③：何でも（ビルは飛ばないので）

これは、「ビルの高さより高く飛ぶもの」ではなく、「ビルが飛ぶよりも高く飛ぶもの」を聞いているというひっかけ問題。サンパウロ州立銀行は2000年にスペインのサンタンデール銀行に買収され、現在、ビルの最上階は展望台となっている。

■ペルー

問題④：アベ・マリア

アベ・マリアとは、キリスト教の「マリア（キリストの母、聖母マリア）に幸福あれ」という意味の言葉。ペルーの国民の大多数はキリスト教徒なので、アベ・マリアは身近な言葉なのだろう。

■ボリビア

問題⑤：めん類

ボリビアの首都ラパスは、世界でもっとも高いところにある首都だ（標高約3600m）。標高が高いと気圧がさがり、水が沸騰する温度が低くなる。水はふつう100度で沸騰するが、ラパスでは80～90度で沸騰してしまう。低い温度でめん類をゆでても、おいしくできない。

■チリ

問題⑥：サボテン

チリは、国土が南北4300km以上にもわたる細長い国だ。気候も大きく変わる。北部には、サボテンがはえるような乾燥地帯が広がっている。

問題⑦：森の木

夏に、木においしげった葉は、冬になると落ちてしまう。チリの北部は乾燥地帯が広がり、中部には森林地帯が広がっている。南にいくと、年間を通して気温が低く、強い風が吹く「パタゴニア」という地方がある。

■アルゼンチン

問題⑧：小麦

小麦畑はいちめん金色で、風が吹くと波のようにゆれる。アルゼンチンは、広い平原をもつ農業国で、小麦などの穀物がたくさんつくられる。

10 オセアニアのなぞなぞ

オセアニアには、オーストラリア、ニュージーランドと、そのほか、トンガやミクロネシア連邦などの島じまがあります。言語は、現地の言葉のほか、英語が話されています。

■トンガ

問題① 夜は、おなかのなかが人でいっぱい。朝になると子どもを産む。これは、何？

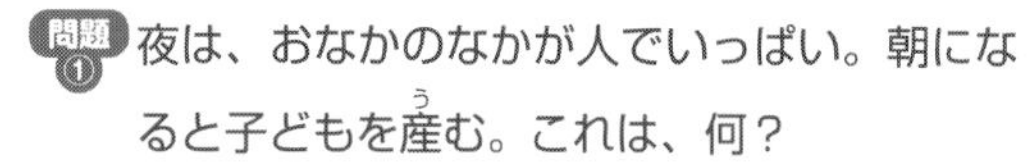

問題② 目もあるし、鼻もあるが、食べるとおいしい。これは、何？

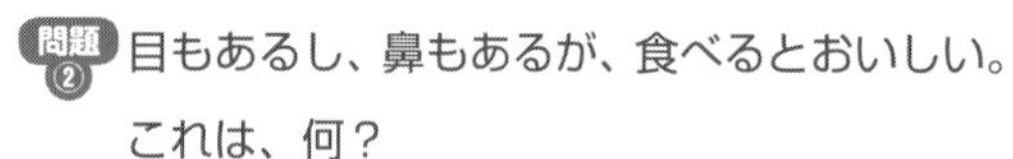

問題③ 大きな口をしていて、たたかれると大声で泣くものは、何？

■オーストラリア

問題④ コアラのお母さんが赤ちゃんを背負っているのは、なぜ？

■ミクロネシア連邦

問題⑤ お店があって、なかには布が２巻き。１巻きは黄色で、もう１巻きは白。この２巻きでお店はいっぱい。これは、何？

問題⑥ ３人兄弟がいる。１人は背が高く、もう１人は少し低い。そしてもう１人はさらに低い。一番背の高いのはほかの２人よりも足が速く、ほかのが何歩かふみだすあいだに何周も走ってしまう。これは、何？

問題⑦ 石があり、そのなかに水がたまっている。石が大きくなると水が減る。これは、何？

答え

■トンガ

問題①：家

トンガの伝統的なくらしでは、大家族でひとつの家に住む。朝には、みんな学校や仕事のために家から出かける。

問題②：ココナッツ

ココナッツは、皮をむくと３つのくぼみが見える。トンガの人はこれを２つの目と鼻に見立てている。一方、ハワイの人は３つの目に見立てているという。３つのくぼみのうち、１つはやわらかく、そこに穴をあけてストローをさし、果汁（ココナッツジュース）を飲むことができる。カリウム、鉄分、マグネシウムなどのミネラル（無機質）を豊富にふくむココナッツジュースは、むくみの解消、貧血予防、疲労回復といった効果があり、栄養価の高さから「飲む点滴」ともいわれる。

問題③：木のドラム

トンガや近隣のフィジーには、木製の「ラリ」という打楽器がある。木の一側面をくりぬき、くりぬいた側を上に向けて置いて、こん棒のような形のばちで打って音を出す。

■オーストラリア

問題④：ベビーカーをもって木に登るのは大変だから

コアラは、おなかのふくろで赤ちゃんを育てる有袋類。オーストラリア原産の植物、ユーカリの葉だけを食べるため、野生のコアラがくらすのは、世界でもオーストラリア東部のユーカリ林だけだ。コアラは１日のうち20時間以上も眠り、起きているときもゆったりと動く。夜行性のため、日中はほとんど動かない。コアラののんびりしたようすから「ベビーカーをもって木になど登れない」と考えられるが、このなぞなぞの根拠はわかっていない。

■ミクロネシア連邦

問題⑤：たまご

たまごの白身と黄身を「布」にたとえている。たまごに関するなぞなぞは、世界でとても人気があり、このなぞなぞのように白身と黄身の色の対比を表したものなど、世界各地で見られる。

問題⑥：時計

時計の３本の針を「３人兄弟」と表現している。一番背が高いのは秒針、まんなかが長針、一番低いのが短針だ。

問題⑦：ココナッツ

答えは、より正確にいうと「果肉の固まりはじめたココナッツ」。若いココナッツは果肉が少なく、中身は果汁（ココナッツジュース）で満たされているが、成熟すると果汁は少なくなり、果肉が固く厚くなってくる。この固くなった果肉をけずりとり、布などでしぼった乳状の液体がココナッツミルクだ。ココナッツミルクは、ミクロネシア連邦はもちろん、トンガがあるポリネシア地域や、東南アジアの国ぐにで、料理によく用いられる。

11 アフリカのなぞなぞ

世界のなぞなぞの最後は、アフリカを見てみましょう。

■モロッコ

問題① 川に近づくと、こわがるものって、何？

■エチオピア

問題② どんなに好きでも、つかめないものは、何？

■ケニア

問題③ みんなの役に立つのに、はずかしがり屋でいつもかくれているものは、何？

問題④ 走っているのに座っている。これは、何？

■ソマリア

昼は、ヒツジやヤギといっしょにいる。夜にはヒツジのかこいの端に放りだされる。これは、何？

■西アフリカ

とても遠いところから、兄さんの声が聞こえてくる。これは、何の声？

■中部アフリカ地域

私の子どもは３人いる。だれか１人が欠けると、みんな食事ができなくなってしまう。私は、だれ？

答え

■モロッコ

問題①：くつ

モロッコの「バブーシュ」という伝統的なくつは、革製で水に弱く、川に入ると水がしみてくる。このため、こうしたなぞなぞができたといわれている。

■エチオピア

問題②：火

エチオピアには、約80の民族がくらしている。都会で現代的な生活を送る人びともいれば、地方では民族の伝統や文化を大切に守り、昔ながらの生活を送る人びともいる。そうした人びとは料理なども、電気やガスにたよらずに、火をおこしておこなう。

■ケニア

問題③：水（地下水）

ケニアは、広大なステップ（草原）や半砂漠地帯をかかえている。こうした乾燥地帯では、地面を深くほりさげ、地下にかくれた水をくみあげている。水は、生き物にとって、なくてはならないもの。人間は、食べ物なしでも数週間は生きられるが、水なしでは、１週間も生きられない。

問題④：自転車

自転車は、座ったままこぐ。これは、ケニアばかりでなく、アフリカの国ぐにでよくいわれるなぞなぞだ。アフリカでは、便利な乗り物として自転車がもとめられている。自転車は自動車にくらべて低価格で手に入りやすいうえ、ガソリンなどの燃料がいらず整備もかんたんだ。しかしアフリカでは、自転車や自動車を買えるほど裕福な人がいる一方、自転車はもちろん、食べ物さえ買えない人びとは数えきれないほどいる。

■ソマリア

問題⑤：（ヒツジ飼いの）棒

ソマリアでは、多くの人がラクダやヒツジ、ヤギ、ウシなどの遊牧にたずさわっている。ヒツジ飼いは、昼、棒をつかってヒツジやヤギをしたがわせるが、その棒は、夜にヒツジやヤギたちをかこいのなかに入れてしまえば、いらなくなって「放りだされて」しまう。

■西アフリカ

問題⑥：太鼓（トーキング・ドラム）

アフリカでは、昔文字がなかったころ、遠くにいる人に情報を伝えるために、太鼓をつかうことがあった。リズムや音の高さなどを変えて、太鼓でしゃべるようにさまざまなことを伝えた。こうした目的でつかわれる太鼓を「トーキング（話す）・ドラム（太鼓）」という。

■中部アフリカ地域

問題⑦：かまど

中央アフリカでは、伝統的に、石を３つならべたかまどになべを乗せ、食べ物を調理する。石が３つあると、なべを乗せても安定してつかいやすいからだ。

パート3

なぞなぞ・なぞかけのつくり方

1 なぞなぞをつくってみよう

気のきいた、おもしろいなぞなぞをつくるにはどうすればいいでしょうか。突然思いつくこともありますが、ここに示す２つの方法は、基本的なやり方だといえるでしょう。

先に答えを決めるやり方

答えを先に決め、その言葉から連想することを書きだし、連想したことで、問題をつくります。

例①

答え:ピアノ

連想すること:けんばん、白と黒、人の歯のならび方

○たくさん歯があるのに半分くらいが虫歯で黒くなっているものは、何？

例②

答え:ポスト

連想すること:赤い、手紙、入れるところ(口)

○赤い服を着て、紙をたくさん食べるものは、何？

同音異義語を探すやり方

日本語の特徴として、同じ音でちがう意味の言葉（同音異義語、→p12）が多いことがあげられます。同音異義語は、なぞなぞをつくるときのひとつの鍵となっています。

先に同音異義語を考え、そのなかで、どれかひとつの意味が答えになる文をつくっていきます。

友情出演：林家木久扇

例①

同音異義語：紙、神さま、オオカミ

○かみはかみでも、するどいきばがあるこわいかみは？

答え：オオカミ

例②

同音異義語：食べ物を焼く、肌を（太陽で）焼く、世話を焼く

○焼いても焼いても、ちっとも食べられないものは？

答え：肌（日焼け）

2 なぞかけ（三段なぞ）をつくろう

この本で見てきたようになぞなぞにはいろいろなものがありますが、日本のなぞなぞのなかで「極み」とよべるものは、「三段なぞ」といっても過言ではありません。落語家さんがお客さんを楽しませる話芸となっているくらいです。

三段なぞの秘密

「三段なぞ」については、７ページでもふれましたが、何の関係もないように思われる○○と□□に、△△という共通点があることを知らされたとき、聞いている人は、ハッと気づき、おもしろさを感じるというものです。共通点は、ただの駄洒落の場合もあれば、知識や教養が必要な場合もあります。

○やぶれたしょうじとかけて、冬のうぐいすと解く。

その心は、はるを待つ。

「やぶれたしょうじ」と「冬のうぐいす」は、関係がないように思えますが、これらの言葉には、「（しょうじを）張る」と「春」という共通点があったというわけです。

○くさったたまごとかけて、おばけやしきと解く。

その心は、きみが悪い。

これには、「きみ（黄身、気味）が悪い」という同音異義語 （→p12） があったというわけです。

○飛脚とかけて、ねじれた松の木と解く。

その心は、はしらにゃならん。

「はしらにゃならん」は、「走らにゃならん」と「柱にゃならん」が、かけられていたわけです。

三段なぞのつくり方

三段なぞをつくるのはむずかしそうですが、コツさえつかめば、うまくつくることができます。

そのコツとは、お題の言葉から連想できる言葉や表現をできるだけたくさん探すこと。また、同音異義語や、さらにそれらから連想できる別の言葉を探して、「○○とかけて、□□と解く。その心は、△△」に当てはめるのです。

お題の言葉：たまご

連想すること：丸い
黄身→きみ（君、あなた）
白身→白い ┐
殻→服 ─┘→看護師

○たまごとかけて、看護師と解く。
　その心は、白い服を着てきみ（君、黄身）を守ります。

さらに、お題の言葉も、別の言葉をつけたり、連想できる別の言葉にしたりして、ひねったものにする場合もあります。

連想すること：丸い→四角い
黄身→きみ（君、あなた）
白身→白い ┐
殻→服 ─┘→看護師／医者

○四角いたまごとかけて、医者になる君と解く。
　その心は、どちらもありえない。

この例の「ありえない」や左ページに出てきた「気味が悪い」などは、「○○とかけて、□□と解く」の○○や□□に対する見方・評価を示したものです。このように、見方・評価を先に考えてからなぞかけをつくると、やりやすい場合があります。

三段なぞのクイズに挑戦！

「三段なぞ穴埋めクイズ」に挑戦！　けっこうむずかしい三段なぞづくりができなくても、これならかんたん？　◯のなかに、ひらがな・カタカナを一文字ずつ入れるクイズを楽しんで、三段なぞに慣れていきましょう。

1

りんごとかけて、
思いをよせる人と解きます。
その心は、
◯になります。

2

陸上競技とかけて、
宅配便屋さんと解きます。
その心は、
◯◯◯◯で走ります。

3

シャープペンシルとかけて、
信念の強い人と解きます。
その心は、
どちらも◯◯が
通っています。

4

優勝トロフィーとかけて、
レシートと解きます。
その心は、
◯◯◯人が
受けとります。

5

口げんかとかけて、
◯◯◯◯◯◯◯◯◯と解きます。
その心は、
終わったら水に流しましょう。

6

手ごわい商売人とかけて、
◯◯◯◯と解きます。
その心は、
どちらもなかなか
負けません。

7

季節の変わり目とかけて、
おいしい○○○と解きます。
その心は、
ころもがえー。

8

遊園地の待ち時間とかけて、
集会でのあいさつと解きます。
その心は、
○○○○ほど、喜ばれます。

9

うちわとかけて、
信号機と解きます。
その心は、
○○がないと意味がない。

10

一夜づけのテスト勉強とかけて、
箱根駅伝と解きます。
その心は、
○○をかけます。

11

英語の授業でつかうノートとかけて、
クラスの席がえと解きます。
その心は、
○○○○になります。

A

❶き（木／気） ❷トラック ❸しん ❹かった（勝った／買った） ❺トイレットペーパー ❻よこづな（横綱）
❼フライ ❽みじかい ❾あお（扇がない／青がない） ❿やま ⓫よこがき（横書き／横が気）

友情出演：林家三平

3 英語のなぞなぞをつくってみよう

英語のなぞなぞ riddle をつくる方法を紹介します。かんたんな単語で、とんちのきいたなぞなぞを完成させることができます。

単語をアルファベット1文字に置きかえるやり方

23ページで見た通り、英語の単語には、アルファベット1文字で表せるものがあります。そのような単語を答えにします。

例①

アルファベット:C

単語:sea(海)

○What letter of the alphabet has the most water?

アルファベットのなかで水が多いのは何?

答え:C

2つの単語をくっつけると別の単語になるものを探すやり方

英語には、単語と単語をくっつけると、まったく別の単語になるものがあります。そうした単語を探して、問題文をつくっていきます。

例②

単語:butter(バター)+fly(飛ぶ)
=butterfly(チョウ)

○What do you get when you throw butter in the sky?

空にバターを投げると何になる?

答え:butterfly (butter fly)

同音異義語をつかうやり方

英語にも、日本語よりは少ないながらも同音異義語があります(→p23)。同じ音に聞こえる単語を探して、問題文をつくっていきます。

例③

単語:mail(郵便・手紙)、male(男)

○What truck can be driven only by men?

男しか運転することができないトラックってどんなトラック?

答え:a mail truck(郵便トラック)

友情出演:神奈川大学外国語学部教授・大島希巳江

英語なぞなぞ riddle に挑戦！

左ページで紹介した「つくり方」もふまえつつ、riddle に挑戦してみましょう。

1

What flower has two lips?

唇が２枚ある花は何？

2

What begins with T, ends with T, and has T in it?

Tではじまって、Tで終わって、Tが入っているものって何？

3

What do you get when you eat with your eyes open?

目をあけたまま食べる食べ物は何？

4

What has two hands and a face, but no arms and legs?

手が２本あって顔がひとつあるけど、腕も足もないものって何？

5

Why is nine afraid of seven?

９はなぜ７をこわがるの？

A

❶tulips（two lips）：チューリップ（唇が2枚） ❷a teapot：ティーポット（なかには「お茶 tea＝T」が入っている） ❸seafood（see food）：シーフード（食べ物を見る） ❹a clock：時計（時計には針〈hands〉が2本あって、面〈face〉がひとつだけある） ❺Seven ate nine.：ate（食べた）とeight（8）が同音異義語

さくいん

あ行

か行

さ行

た行

な行

は行

ま行

や行

ら行

あとがき

なぞなぞは、常識や固定観念をひっくり返して頭のなかをかき回し、風を入れてやわらかくする効果があります。また、生活や人生の知恵が凝縮されているものもあります。加えて、世界各国の風土やくらし、人びとの気持ちの持ち様のちがいを見事に伝えてくれるものもあります。子どもも大人も、もっとなぞなぞを楽しんでほしいと思って、私はこの本を書きました。

稲葉茂勝

●著／稲葉 茂勝

1953年東京都生まれ。大阪外国語大学、東京外国語大学卒業。国際理解教育学会会員。子ども向けの書籍のプロデューサーとして多数の作品を発表。自らの著作は、『子どもの写真で見る世界のあいさつことば—平和を考える3600秒』『世界の言葉で「ありがとう」ってどう言うの？』（今人舎）など、国際理解関係を中心に著書・翻訳書の数は50冊以上にのぼる。

●絵／ウノ・カマキリ

1946年愛知県生まれ。日本テレビジョンのアニメーターを経て、イラストレーターとして独立。「平凡パンチ」などさまざまな媒体で、風刺漫画、ユーモア漫画を中心にひとコマ漫画家として活動。代表作に『き』、「落画」シリーズなど。1991年および2011年に日本漫画家協会賞・大賞受賞。2016年現在日本漫画家協会常務理事、「私の八月十五日の会」評議員。

●英語なぞなぞ作成／大島 希巳江

●編／こどもくらぶ

「こどもくらぶ」は、あそび・教育・福祉分野で、子どもに関する書籍を企画・編集しているエヌ・アンド・エス企画編集室の愛称。これまでの作品は1000タイトルを超す。

●制作／（株）エヌ・アンド・エス企画

●写真協力（敬称略）

有限会社トヨタアート、株式会社ねぎし事務所、大島希巳江

●参考文献

『少年園』第一巻第一号、第二巻第十三号（少年園 著、少年園、1888, 1889年）／『日本少年』第十六巻第十号（実業之日本社、1921年）／『なぞなぞの本』（福音館書店編集部 編、福音館書店、1982年）／『世界なぞなぞ大辞典』（柴田武、谷川俊太郎、矢川澄子 編、大修館書店、1984年）／『なぞなぞパワーのヒミツ』（このみひかる 著、大日本図書、2003年）／『大人のための世界の「なぞなぞ」』（稲葉茂勝 著、青春出版社、2007年）

なぞなぞ学　起源から世界のなぞなぞ・なぞかけのつくり方まで　NDC798

2016年3月15日　第1刷

発行者／中嶋舞子

発行所／株式会社 今人舎

186-0001　東京都国立市北1-7-23　TEL 042-575-8888　FAX 042-575-8886

E-mail nands@imajinsha.co.jp　URL http://www.imajinsha.co.jp

印刷・製本／凸版印刷株式会社

ISBN978-4-905530-55-8　Printed in Japan

定価はカバーに表示してあります。落丁本、乱丁本はお取り替えいたします。

PSYPER サイパー 思考力算数練習帳シリーズ

シリーズ 10

倍から割合へ
売買算 新装版

小数範囲：小数までの四則計算が
正確にできること

問題、仕入れ値の４割増しの定価をつけたが売れないので、定価から７０円値引いて売ったところ、損失が２０円となった。定価はいくらですか。
(式・図・考え方)

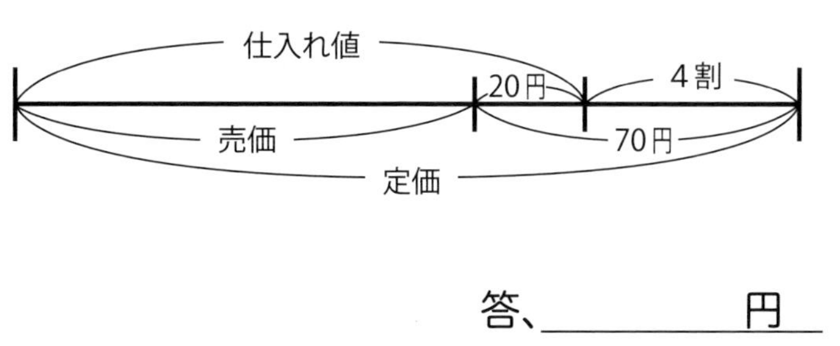

答、＿＿＿＿＿円

新装版